COLLECTION POÉSIE

ROGER GILBERT-LECOMTE

La Vie l'Amour la Mort le Vide et le Vent

et autres textes

Préface d'Antonin Artaud
Choix et présentation de Zéno Bianu

GALLIMARD

SUR LA VIE L'AMOUR LA MORT
LE VIDE ET LE VENT

Contrairement à ce qui s'est pratiqué un peu partout depuis quinze ans et plus, il semble que l'on doive maintenant en revenir à une acception de la poésie conçue comme une chose qui sonne, fût-ce de façon mystérieuse et d'après les lois du quart de ton.

Or, dans les poèmes de Roger Gilbert-Lecomte qui consacrent la présence du vide, la circulation mystérieuse du vent, il y a, même dans les parties humoristiques, même dans les poèmes faits de quelques mots, de quelques vocables épars et qui ont du mal à trouver ce qui les rassemble, il y a la présence d'une harmonie cachée et qui ne se révèle que par ses aspérités.

Cette harmonie à peine indiquée et parfois presque imperceptible, par moments, il semble que l'on en puisse douter. Mais il y a dans tout le livre l'incontestable révélation d'un poète vrai, et qui se cherche ; et la fin du livre démontre qu'il s'est trouvé.

Ce recueil, intelligent et sensible, est un aperçu de la poésie, une sorte de carte du ciel interne, une Rose des Vents magnétique, qui s'oriente et qui nous oriente à travers toute la variété des aimantations et des courants. Un bon tiers du livre est pris uniquement par cela. C'est le fait d'un homme qui fait le point, qui cherche la trace, une trace, et qui la trouve.

Roger Gilbert-Lecomte indique le temps, le ton, la nuance, il se met au diapason ; et enfin, il trouve la vraie poésie, qui est génésique et chaotique, qui part toujours — et quand elle n'est pas si peu que ce soit anarchique, quand il n'y a pas dans un poème le degré du feu et de l'incandescence, et ce tourbillonnement magnétique des mondes en formation, ce n'est pas la poésie — qui part toujours de la Genèse et du Chaos.

La partie supérieure du livre, celle où la vraie personnalité de Roger Gilbert-Lecomte se manifeste et se dégage, est celle qui traite du vide et du vent, avec la mort comme complément.

Ici enfin, une forme de vrai lyrisme, de lyrisme moderne apparaît. Et c'est ici que Roger Gilbert-Lecomte rompt avec les poètes du temps, retrouve ce ton organique, cette atmosphère déchirée d'organes, cet air fœtal, humide, ardent, qui a de tout temps appartenu au vrai lyrisme, qui puise sa force à la force de vie, qui prend sa source à la source de toute vie.

Ici encore, comme pour tout le reste, c'est l'Orient qui nous fait la leçon. Il n'y a pas dans la poésie d'Occident cet air de mort, cette ambiance orageuse, cet air de spasmes mal calmés, qui appartiennent par exemple à la poésie thibétaine pour le peu que nous en connaissons. L'Orient dans sa poésie s'attaque au cycle de la vie humaine, qu'il saisit dès avant la naissance, qu'il ose poursuivre jusqu'après la mort. Un des poèmes les plus saisissants du livre de Roger Gilbert-Lecomte est celui où il décrit la chute spirituelle d'une âme qui se laisse prendre au piège de l'incarnation.

Le thème est le thème habituel de la haute poésie thibétaine, mais le lyrisme et l'accent sont à lui.

Roger Gilbert-Lecomte est un des rares poètes d'aujourd'hui à cultiver cette forme de lyrisme violent, noueux, torride, ce lyrisme en cris d'écorché, qui se pare des mots abrupts, d'images-force, où la convulsion et le spasme rendent le son de la nature en plein travail. Des images de danse macabre, des sonorités graves, enfouies, des refoulements de sons qui tournent sur eux-mêmes et font la spirale, marquent deux ou trois de ses poèmes. Et dans une époque antipoétique entre toutes, et où la poésie écrite semble un secret perdu, un poète authentique nous est enfin révélé.

Roger Gilbert-Lecomte, à l'exemple des plus hauts poètes sacrés de la tradition extrême-orientale, identifie dans ses poèmes la métaphysique et la poésie. Il remonte à la source génésique des images ; il sait que le lyrisme, comme l'amour, comme la mort, sont tous sortis de la même source violente et nous en rapproche par la même occasion.

L'Orient n'a jamais commis l'erreur de verser dans la poésie individuelle ; tout ce qui a une valeur dans la poésie orientale traite de l'universel ; et les poètes individuels, s'il en existe, sont automatiquement rejetés en dehors de la tradition. Il y a dans la poésie de Roger Gilbert-Lecomte comme le regret d'une tradition perdue, et l'écho lointain de certains grands cris mystiques, de ce ton qui roule en menace dans les écrits de Jacob Bœhme ou de Novalis. C'est le plus bel éloge que je puisse en faire ; et cette dernière remarque me dispense de rien ajouter.

ANTONIN ARTAUD
(1934)

ROGER GILBERT-LECOMTE
OU LA VITESSE DE L'IMMENSITÉ

Voici la vitesse de la vérité.

ROGER GILBERT-LECOMTE

Amant d'une vitesse à foudroyer les pentes
Je ne descends jamais que d'un gouffre qui bat

SERGE SAUTREAU

Méditant sur la trajectoire incandescente de Roger Gilbert-Lecomte, nous revient à l'esprit cette phrase extraordinaire — bouleversante, si les mots ont encore un sens — d'Antonin Artaud : « et il avait raison Van Gogh, on peut vivre pour l'infini, ne se satisfaire que d'infini, il y a assez d'infini sur la terre et dans les sphères pour rassasier mille grands génies[1]… »

Sans répit, sans relâche, Roger Gilbert-Lecomte a vécu pour l'infini. À seize ans, il écrit Tétanos mystique. *À trente-six, il succombe d'une crise de tétanos dans un hôpital parisien. Son métier d'être humain, il l'a accompli jusqu'au bout, intégralement. D'émerveillement en épuisement, de secousse en trouée, de*

---

1. *Van Gogh le suicidé de la société*, dans *Œuvres*, Gallimard, coll. « Quarto », 2004, p. 1461.

contemplation en dérision, d'opium en héroïne, celui qui joua le Grand Jeu jusqu'au bout semble avoir fait sa vie durant — et comme en se jouant de tout — le choix du noir absolu.

Et pourtant, ce noir continue de nous parler, de nous dire quelque chose, de nous confier un secret. Obsédé, traversé sans fin par le « rythmique retour au pays d'avant-naître[1] *», Gilbert-Lecomte, ce maquisard de l'esprit, a sans doute porté au plus haut « l'instinct d'auto-destruction*[2] *», comme la condition même de toute création, accélérant encore et toujours une orbite inimitable vouée à la chute libre, mais guidée néanmoins par une étrange lumière dorée — qui voulut « attester l'or du feu*[3] *» — et un humour en lame de couteau : « Étant mort, /je vis très légèrement*[4]*. »*

Tête magnétique du simplisme, qu'il crée au lycée de Reims en 1924 avec ses trois « phrères » (René Daumal, Roger Vailland et Robert Meyrat), cofondateur en 1928 du groupe et de la revue du Grand Jeu, Gilbert-Lecomte ne publiera, de son vivant, que deux recueils de poèmes, La Vie l'Amour la Mort le Vide et le Vent *(1933) et* Le miroir noir *(1937). La dissolution du Grand Jeu en 1932 enfièvre encore une existence marquée par l'exploration de « la Mort-dans-la-Vie*[5] *», c'est-à-dire la mort comme moteur même de la vie. Aux confins du sens et du non-sens, de l'urgence folle et de la lancinante blessure d'être, son destin de météorite*

1. « Sacre et massacre de l'Amour », voir p. 60.
2. « Monsieur Morphée empoisonneur public », voir p. 89.
3. « Chant de mort Cristal d'ouragan », voir p. 97.
4. « Tablettes d'un visionné », voir p. 114.
5. « Monsieur Morphée empoisonneur public », voir p. 181.

foudroyée marque la volonté d'« être éternel par refus de vouloir durer[1] ».

L'homme ne peut vivre sans feu, répètent les Upanishads — et comment faire vraiment du feu sans brûler quelque chose ? Certains êtres ne cessent de brûler ainsi, comme s'ils obéissaient à une loi d'effondrement inconcevable. Leurs réserves d'énergie épuisées, ils implosent et parfois se transfigurent — purs néants qui s'échauffent et scintillent, engloutissant tout ce qu'ils touchent —, à la manière des trous noirs, dont la gravité croît jusqu'à retenir même la lumière. À propos de la peinture de Sima, Gilbert-Lecomte évoque avec une majesté douloureuse le « grand cœur de la région obscure des limites, là où toutes vies, toutes consciences coïncident, dans la couronne de Nuit-Lumière, au tréfonds de la vie commune, la mère des splendeurs paniques accoucheuses des morts, — là où il n'y a plus que la souffrance, la vie pure, c'est-à-dire rien que la souffrance[2] ».

Gilbert-Lecomte, on le pressent, on le devine sur la plupart de ses photos, a prospecté les plus sombres territoires de l'esprit. Il est allé au bout de tout, au bout de la langue et de la vie. Par exténuation de son chaos, par nuits entières de sommeil les yeux ouverts, sacrifiant à « la grande urne de l'insomnie[3] », cherchant ce « cap d'ombre au seuil des nuits d'où sortir météore[4] ». Archange en tourmente, pantelant de vie, perdu et retrouvé dans sa narcose d'altitude.

Chez celui qui s'était promis de « n'écrire que l'es-

---

1. « La circulaire du *Grand Jeu* », *Les Poètes du Grand Jeu*, « Poésie/Gallimard », 2003, p. 30.

2. « L'énigme de la face », voir p. 174.

3. « Je n'ai pas peur du vent », voir p. 86.

4. « Quand viendra le jour du grand vent », voir p. 89.

sentiel[1] », on découvre les pages les plus aiguës qui
soient sur le tréfonds de notre humanité (« nous étions
arrivés au tréfonds des bas-fonds[2] »), sur l'expérience
inconditionnelle de la souffrance — des pages qui nous
concernent tous (« j'ai froid jusqu'aux os, froid jusqu'à
la moelle, froid jusqu'aux yeux, froid jusqu'au bout
du monde et il me semble que tous les poisons de la
terre et du feu ne suffiront jamais à réchauffer ce corps
gelé[3] »). Des pages nerveuses, à la fois aurorales et
crépusculaires, sur cette sensation abyssale de la Mort-
dans-la-Vie. Des pages qui explorent ces instants de
chute en soi où s'éclairent et s'engendrent la vie et
la mort. Plus souvent qu'à son tour, Gilbert-Lecomte,
comme il l'exprime avec ce ton qui n'appartient qu'à
lui, n'a pas pu, n'a pas su ou voulu « remonter au
jour / chez les rossignols[4] ». On peut se tenir ainsi
en funambule, congédier parfois l'existence, s'ouvrir
à sa propre folie. Chercher sans fin un changement de
gravitation, et rejeter par-dessus tout « la conscience
claire, horrible concierge brandissant son balai pois-
seux[5] ».

Les vrais poètes, les grands déboussoleurs, opèrent
toujours tels des mineurs de grands fonds, par extrac-
tion continue de la couche poétique du langage, ce que
Gilbert-Lecomte nomme le « Sang des Rêves[6] ». Il y a
chez eux une rencontre nécessaire, imprévisible et comme

1. « Retour à tout », *Œuvres complètes I*, Gallimard, 1974, p. 228.
2. « Le grand et le petit Guignol », voir p. 79.
3. Lettre à René Daumal, 1932, *Correspondance*, Gallimard,
1971, p. 232.
4. « La chanson du Prisonnier », voir p. 101.
5. Lettre à René Daumal, 13 octobre 1927, *op. cit.*, p. 162.
6. « L'horrible révélation… la seule », voir p. 163.

irisée, d'une intensité d'être et d'une intensité de création. Déchiré, précoce, fulgurant, doté d'une « sensibilité suraiguë[1] », Gilbert-Lecomte appartient naturellement à cette lignée de visionnaires : « Depuis jamais / Je sais toujours[2]. » En ce qu'il éclaire des précipices dont nul n'épuisera jamais les ressources. En ce qu'il tend toujours quelque chose, une raison (ou déraison) d'être, une façon de penser à côté, un syllogisme bouleversé, une ligne de cœur, une ligne de faille. Avec lui, « la voie lactée se décroche et se noue en écharpe[3] ». Il est de ceux qui font jaillir la beauté — et peut-être même l'élan vital — du cœur même de l'anéantissement. De ceux qui posent peut-être la seule question qui vaille : faut-il donc autant de nuit pour rejoindre la lumière ?

« Le Grand Jeu est irrémédiable ; il ne se joue qu'une fois. Nous voulons le jouer à tous les instants de notre vie[4] », annonce d'emblée Gilbert-Lecomte dans l'avant-propos du premier numéro du Grand Jeu. Derrière cette formulation somptueusement paradoxale, où dansent et fusionnent l'un et le multiple, se dessine une véritable poétique de l'instant. Instant vertical, éclat d'évidence, acte de connaissance immédiate, incessante re-prise de conscience qui entend s'accorder sans fin au mystère du monde. Là, nous pouvons nous sentir « grandir à devenir le ciel[5] », là, et seulement là, nous ne sommes plus des « trous d'ombre creusés en formes d'hommes[6] ».

1. « Monsieur Morphée empoisonneur public », voir p. 190.
2. « Le vent d'après le vent d'avant », voir p. 90.
3. « Monsieur Crabe, cet homme cadenas », voir p. 37.
4. Voir p. 127.
5. « L'aile d'endormir », voir p. 73.
6. « Hommage fraternel ou La bête immonde », voir p. 119.

Lorsque Gilbert-Lecomte proclame haut et fort l'implacable nécessité d'une métaphysique expérimentale *(concept intenable pour toute forme de raison discursive), il ne désigne rien d'autre que la possibilité réelle de s'ouvrir à l'absolu par l'expérience, en rejetant dogmes et béquilles.* (« Tous les grands mystiques de toutes les religions seraient nôtres s'ils avaient brisé les carcans de leurs religions que nous ne pouvons subir[1]. ») *Ce faisant, il s'inscrit directement au cœur du courant subversif qui traverse, dans le temps comme dans l'espace, toute recherche artistique, spirituelle ou révolutionnaire opérante — souvent scandaleuse, toujours contradictoire, en ceci qu'elle ne relève jamais de la certitude mais de la prise de risque la plus extrême.*

Nous ne sommes jamais assez nés, rappelle avec force Cummings. La poésie vécue de Gilbert-Lecomte résonne tout entière comme un appel constant à la liberté la plus libre. On peut la lire et la relire comme l'expression frémissante *d'un parti pris du vivant jusque dans son* désordre. *Ouvrir la totalité de l'espace — ce pourrait être la profession de foi du poète, ce « chérubin démesuré[2] ». Poumons traversés par le ciel.* « Souvenez-vous, hommes, du fond caverneux de vous-mêmes, flamboie Gilbert-Lecomte, votre peau n'a pas toujours été votre limite[3]. » *Avec son adolescence indomptable, sa volonté de briser tous les dogmes, d'avaler « Dieu pour en devenir transparents jusqu'à disparaître[4] », ce « [technicien] du*

---

1. « Avant-propos au premier numéro du *Grand Jeu* », voir p. 128.

2. « Je n'ai pas peur du vent », voir p. 85.

3. « L'horrible révélation… la seule », voir p. 158.

4. « Avant-propos au premier numéro du *Grand Jeu* », voir p. 129.

désespoir[1] », *ainsi qu'il se nommait, n'a cessé de mettre au jour le noyau incantatoire de la vie — de donner un coup de projecteur lucide et violent sur ce qui raisonne en nous en dehors de la raison.*

Voyance, intensité psychique, révolte, subversion du principe d'identité, ouverture à l'Orient — Rimbaud est ici le point nodal, le « précurseur de tout ce qui veut naître[2] », *celui qui incarne ce « besoin imminent de changer de plan*[3] », *celui qui suit au plus près « l'asymptote des impossibilités humaines*[4] », *et « montre la limite de tout individu*[5] ». *L'Avant-propos au premier numéro du* Grand Jeu *l'affirme :* « Nous croyons à tous les miracles. Attitude : il faut se mettre dans un état de réceptivité entière, pour cela être pur, avoir fait le vide en soi [...]. Nous ne voulons pas écrire, nous nous laissons écrire[6]. » *Le Grand Jeu, en ce qu'il vibre dans la résonance du « cuivre [qui] s'éveille clairon » cher à Rimbaud, se manifeste ouvertement comme un retour de la voyance dans l'art du* XXe *siècle.* « L'inspiration poétique, — exactement créatrice —, est la forme occidentale de la Voyance[7]. » *Gilbert-Lecomte, encore, à propos de Sima :* « Je ne reconnaîtrai jamais le droit d'écrire ou de peindre qu'à des voyants. C'est-à-dire à des hommes parfaitement et consciemment désespérés qui ont reçu le mot d'ordre "Révélation-Révolution", des hommes qui n'acceptent pas, dressés contre tout, et qui, lorsqu'ils*

1. « Mise au point ou Casse-dogme », voir p. 139.
2. « Après Rimbaud la mort des Arts », voir p. 142.
3. « La force des renoncements », voir p. 137.
4. « Après Rimbaud la mort des Arts », voir p. 142.
5. *Ibid.*
6. Voir p. 127-128.
7. « L'horrible révélation... la seule », voir p. 169.

cherchent l'issue, savent pertinemment qu'ils ne la trouveront pas dans les limites de l'humain[1]. »

Dans cette perspective libertaire, le voyant apparaît comme le contraire du croyant. Le voyant se veut et se vit affranchi. Affranchi de tout ancrage, de toute réalité de seconde main promise par autrui. Il pourrait être défini comme un débusqueur d'illusions, celui qui lève tous les leurres — sans exception, et jusqu'à celui de sa propre « maîtrise ». Refus absolu de toute programmation de l'esprit qu'un Henri Michaux a formulé un jour au plus exact : « Il plie malaisément les genoux, ses pas ne sont pas bien grands, mais il reçoit mieux n'importe quel rayon, celui qui jamais n'a été disciple[2]. »

Au vrai, rien ne saurait être accompli sans cette objection systématique à tout, ce non sans appel — ce « jet furieux de la révolte[3] » : « La Révolte, telle que nous la concevons, [est] un besoin de tout l'être, profond, tout-puissant, pour ainsi dire organique[4]. » La révolte, pour Gilbert-Lecomte, qui se perçoit à la fois comme un « pétrisseur d'étoiles[5] » et un « Cataclysme Vivant[6] », c'est la clé même du mouvement de la vie, c'est la force qui permet de « remettre tout en question dans tous les instants[7] ». D'abord, la violence pure, brutale

1. « Puisque peinture il y a… », Œuvres complètes I, op. cit., p. 139.

2. Poteaux d'angle, « Poésie/Gallimard », 2004, p. 19.

3. « La force des renoncements », voir p. 133.

4. Ibid., voir p. 130.

5. Ibid., voir p. 132.

6. Ibid., voir p. 135.

7. « Avant-propos au premier numéro du Grand Jeu », voir p. 127.

*et comme native, de la prise de conscience, splendide-
ment évoquée ici :* « *des hommes crèvent en mordant
leurs poings dans toutes les nuits du monde*[1] ». *Puis, la
riposte, à savoir la poésie comme pierre de touche de la
transformation, comme* « *signe qui force les mondes*[2] » :
« *Aussi "Poésie" devant tous les concepts de cette raison a nom "subversion totale" et devant toutes ses institutions "Révolution"*[3]. » *Enfin, dans une perspective
trinitaire,* « *la révolte de l'individu contre lui-même*[4] »
— *soit* « *changer le sens de toute notre activité, prendre
une attitude tellement nouvelle qu'elle bouleverse notre
nature de fond en comble*[5] ».

*Pour Gilbert-Lecomte, en effet, l'idée qu'un homme
puisse être sauvé en adhérant à une proposition conte-
nue dans un credo quelconque est le plus dangereux, le
plus irréaliste des fantasmes.* « *Nier tout pour se vider
l'esprit*[6] », *tranche le poète, et Daumal, son* « *phrère* »
solaire, surenchérit : « *La seule délivrance est de se donner soi-même tout entier dans chaque action, au lieu de
faire semblant de consentir à être homme*[7]. »

Révélation/Révolution. Il s'agit de se révolter et *de
se révéler. De récuser, dans son essence, le désir d'auto-
rité. Révélation/Révolution sont ici les deux pôles d'une
insurrection poétique* généralisée. *Et qui croit com-*

1. « Après Rimbaud la mort des Arts », voir p. 144.
2. « Avant-propos au premier numéro du *Grand Jeu* », voir
p. 127.
3. « L'horrible révélation… la seule », voir p. 172.
4. « La force des renoncements », voir p. 130.
5. *Ibid.*, voir p. 136.
6. *Ibid.*, voir p. 133.
7. « Liberté sans espoir », *Les Poètes du Grand Jeu, op. cit.*,
p. 51.

prendre l'une en rejetant l'autre échoue à saisir toute la palette du vivant. Révélation/Révolution. Paradoxe des paradoxes. Exigence de rébellion et approfondissement des plus anciennes traditions (notamment celle de l'Inde). « Ton Sauvage est ton Sauveur[1] », résume Gilbert-Lecomte dans un éblouissant raccourci. Loin de toute rêverie douillette ou de tout glacis intellectuel, les métaphysiques orientales sont vécues ici comme le tremplin d'une infinie redécouverte de soi. « Sondez l'abîme qui est en vous[2] », insiste Gilbert-Lecomte, pointant au passage l'impossibilité de tout progrès social réel sans transformation intérieure, et proche en ceci des positions éclairantes d'un Georges Ribemont-Dessaignes publiées dans le numéro 2 du Grand Jeu : « Il apparaît de plus en plus que la révolte contre l'oppression collective est celle qui renforce le plus les tendances instinctives de notre bureaucrate intérieur[3]. »

Au sein de cette réforme ardente de l'entendement, les drogues sont perçues comme des outils de dévoilement. Entre algèbre du besoin et connaissance par les gouffres, elles ouvrent une brèche dans le mur de la douleur. Tout au long de son destin en apnée, Gilbert-Lecomte se reconnaîtra parmi « ceux qu'un fatal accrochage, un jour blanc de leur vie, a arrachés aux tapis roulants d'un monde dont leurs mains soudain de feu ont incendié les celluloïds et les cartons-pâtes[4] ». Mais ce vertige aux accents nervaliens s'accompagne toujours d'une terrible clairvoyance. Du sommet impérieux de sa

1. « L'horrible révélation… la seule », voir p. 163.
2. « La force des renoncements », voir p. 136.
3. « Politique », Les Poètes du Grand Jeu, op. cit., p. 64.
4. « Après Rimbaud la mort des Arts », voir p. 147.

toute jeunesse (vingt-quatre ans), Gilbert-Lecomte note dans Monsieur Morphée *: «* Et maintenant admettez ce principe qui est la seule justification du goût des stupéfiants : *ce que tous les drogués demandent consciemment ou inconsciemment aux drogues, ce ne sont jamais ces voluptés équivoques, ce foisonnement hallucinatoire d'images fantastiques, cette hyperacuité sensuelle, cette excitation et autres balivernes dont rêvent tous ceux qui ignorent les "paradis artificiels".* C'est uniquement et tout simplement un changement d'état, un nouveau climat où leur conscience d'être soit moins douloureuse[1]. »*

Pour Gilbert-Lecomte, on ne coule jamais assez dans le réel. À pic, et en toute rigueur. Au plus extrême de l'art, au plus turbulent du cœur. Aux yeux de ce passeur éperdu, la vie oscille toujours entre bac à sable et Voie lactée. Ordre et désordre ne cessent de s'aimanter. Lorsque Gilbert-Lecomte approche la conscience comme « le lieu du *fait* lyrique[2] *», il met l'accent sur cette capacité à faire rayonner l'expérience poétique au-delà du poème. À dynamiter son quotidien par «* une immense poussée d'innocence[3] *». À sentir ces instants précieux où la vie donne sa langue au chat. Contre toute forme d'engourdissement, contre ce qui émousse l'esprit, contre ce qui gèle le cœur — n'est-il pas temps de reprendre l'ascension du «* sommet central de l'intérieur de tout[4] *» ?*

Selon la vision étincelante de Gilbert-Lecomte, « tout*

1. Voir p. 190.
2. « L'horrible révélation… la seule », voir p. 169.
3. « Avant-propos au premier numéro du *Grand Jeu* », voir p. 127.
4. « Le fils de l'os parle », voir p. 78.

ce qui fut une seule fois rêvé existe à l'égal de toutes les existences distinctes[1] ». Dans l'infini maintenant, il n'est jamais trop tard. Le « secret perdu dans Atlantis[2] » ne saurait mourir.

ZÉNO BIANU

1. « L'horrible révélation… la seule », voir p. 167.
2. *Ibid.*, voir p. 155.

La Vie l'Amour
la Mort
le Vide et le Vent

Préface
OU
LE DRAME DE L'ABSENCE
EN UN CŒUR ÉTERNEL

Scène I

(La scène représente l'infini non manifesté.)

PERSONNAGES

D'abord : Dieu seul,
puis : Dieu et l'Absence-de-Dieu.

DIEU-EN-SOI

J'ai le mal de l'absence en mon cœur éternel.

(Silence.)

DIEU-HORS-DE-SOI

FIAT NEMO !

L'ABSENCE-PAR-SOI-CRÉÉE-DE-DIEU

ECCE NEMO !

(Rideau.)

Scène II

(Même décor, mais l'infini est manifesté.)

PERSONNAGES

La Vie.
L'Amour.
La Mort.
Le Vide et le Vent.
Dieu et son Absence.

DIEU

Qu'est-ce que la vie ?

SON ABSENCE

L'amour du vent.

DIEU

Qu'est-ce que la mort ?

SON ABSENCE

L'amour du vide.

DIEU

Et qu'est-ce que l'amour ?

SON ABSENCE

La vie du vent, la mort du vide.

(Silence.)

DIEU

Quel est le but de la vie ?

SON ABSENCE

C'est la mort.

DIEU

Quel est le but de la mort ?

SON ABSENCE

C'est la vie.

DIEU

Quel est le but de la vie et de la mort ?

SON ABSENCE

C'est le vide et le vent.

(Silence.)

DIEU

Et quel est le but de l'amour ?

SON ABSENCE

C'EST LA MORT DANS LA VIE ET LE VENT DANS LE
VIDE !

(Rideau.)

Scène III

(Même décor.)

PERSONNAGES

Dieu seul avec son Absence.

DIEU

Adieu ?

SON ABSENCE

À L'ENVERS !

(Rideau de l'éternité.)

LA VIE

LA BONNE VIE

Je suis né comme un vieux
Je suis né comme un porc
Je suis né comme un dieu
Je suis né comme un mort
   Ou ne valant pas mieux

J'ai joui comme un porc
J'ai joui comme un vieux
J'ai joui comme un mort
J'ai joui comme un dieu
   Sans trouver cela mieux

J'ai souffert comme un porc
J'ai souffert comme un vieux
J'ai souffert comme un mort
J'ai souffert comme un dieu
   Et je n'en suis pas mieux

Je mourrai comme un vieux
Je mourrai comme un porc
Je mourrai comme un dieu
Je mourrai comme un mort
   Et ce sera tant mieux

LA VIE EN ROSE

Elle était jolie
Je l'aimais beaucoup
J'en attrapais des ours aux amygdales
Et je riais je riais
Je riais comme un œuf de statue ailée.

Quand elle est morte j'ai chanté comme une pleureuse
En poussant des gueulements
Abominables
Ensuite j'ai souri gracieusement

Pour changer un peu
Je suis mort à mon tour
En odeur de sainteté
Autant que faire se peut
Comme il se doit

SOMBRE HISTOIRE

Les saltimbanques en or dansaient dans la cretonne
Le roi des cieux pissait
Le trombone
Avalait

La mort sans phrases avait les yeux dans les oreilles
Le persil chantait
Les merveilles
Mouraient

La fin du ciel au monde aspirait les entrailles
La pierre de taille hurlait
Sous l'entaille
Du bossu

Le chapeau de la mort disait ses patenôtres
L'œuf enflait
L'apôtre
Déglutissait

Alors le vent qui souffle au delà de l'abîme
Prit feu
Le crime
Eut lieu

LE DRAME
DANS UNE CONSCIENCE ENFANTINE

à G. RIBEMONT-DESSAIGNES
auteur de

N (OUI) N

Tagada oui oui oui
Tagada oui maman
Tagada oui oui oui
Tagada oui mais non

Tagada si si si
Tagada non maman
Tagada non non non
Tagada oui mais non
Tagada non mais oui
Tagada hi hi hi

La conscience enfantine en effet
Vient de recevoir une taloche
Monstrueuse sanction
De ce premier effort de subversion

FAUX DÉPART

L'homme qui jadis
Partit sur les routes
Sans regarder derrière lui
Comme ça

Se réveilla

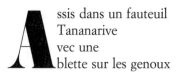ssis dans un fauteuil
Tananarive
vec une
blette sur les genoux

LE CHANT MALIN DU RAT

Le devenu rat de l'eau rive
Entournure à l'amerri coq
L'on pierre la plaintive
Dora
De mousse à l'or y vient le temps
Que pâturera l'urée fine
Galvanisez mâtine
Au chant fourbu d'Iran t'en
Venait dévide
Frise autant d'heures du monde
Par l'échelle votive au trot
D'aimantation blême
Environ
S'il s'enivre aux détroits
Rouge le rêve au rat détruit rongea
Les trois doigts rugissants

POÉSIE IMPURE

Au fond des eaux
Vertes de mort

S'enfle la bulle
Où dort le nain d'or

Qui se réveillera
Un jour en criant feu

MONSIEUR CRABE,
CET HOMME CADENAS

Merci j'éternue du sol le plus creux d'où les os
les pleurs les oiseaux de la peur montent et sautent
à la corde des puits de feu de la nuit de la fin des
mondes et des dieux il semble que parfois et toujours
si l'on vient préviens-moi je serai sur mes gardes et la
peur qui s'enfuit par les fentes des nuits les failles de
la mémoire les courbures du ciel et les hanches des
marbres aplatira tout court il demeure évident pour
quelques-uns dont l'âne que l'heure est grave et la
moisson sempiternelle des comètes et des coccinelles
ne laisse rien prévoir du prochain déluge qui attend
debout derrière la porte de l'occident des grandes eaux
l'espace diminue à vue d'œil et prend la forme d'une
oreille à laquelle on ne peut plus s'habituer malgré la
sincérité désespérée des efforts dérisoires tant il est
dur de se faire à l'oreille lorsqu'on a vécu d'espérance
depuis la plus tendre enfance à fond de cale et faction
dont les phénomènes particulièrement pointus furent
rendus roulants par l'éminent Bœuf s'il peut agir de
lui dans ce cas éclairant occupez-vous plutôt des scies
du ciel et des offrandes je dis j'offre et je prends de
ma main rapace et pourrissante ce que je donne en
retenant entre les dents des éboulis de cris à m'en
boucher la bouche flambons ensemble enfant trop
belle flambons en flamme à l'unisson brisante amante
dans la sécheresse éperdue des cendres chaudes et des
manchots rôtis dont les jambes sont déjà loin dispa-

raissent derrière la courtine de l'horizon qui court en rond l'anneau du ciel qui tourne parce que c'est là son rôle le plus vain mais le plus vénéneux il ne reste plus rien dans cette coupe creuse que l'écho mort et renaissant tous les mille ans de l'antique appel dont le son déchirant a pénétré la première nuit de l'intérieur de l'homme de cette grande horreur que l'on a dit panique alors qu'elle est sans nom tais-toi au premier tournoiement des frondes la voie lactée se décroche et se noue en écharpe autour de la statue en forme de poire élevée à la mémoire des morts de rire étouffant fin tragique

L'HISTOIRE DE FRANCE
À L'ÉCOLE DU SOIR

(Je dis bien.) Lisse-toi rôde œuf rance allez colle du sou erre Ouvre hache cour ornée par lac caca démis franche aise

Note rabot paix y sape aile l'affre anse mets-y sape pelée eau très froid légaux laids ses habits tant ça pelait les gaule-oies ils savaient des œufs bleus aidés mousses tachent tombe hante.

Légaux lois : « *Nous ne craie gnon qu'une chose c'est que la scie elle nous tonde sur la tête* »

Les drues ides aux dès but de gens vie est :

« *Aux guirlandes d'œufs* »

Les uns vas-y on

Qu'a-t-il là roide et un : « *Je suis le fléau qui bat Dieu* » — « *L'air benêt pousse plus où le sabre beau de manche ovale appas sait.* »

Clos vice : « *S'ouvrent vingt toits du vase de soie zon !* »

Sein remis sa cloche visse : « *Courbe la tête fière s'y cambre bru de ce que tu as doré et dors ce que tu as bu lait* »

L'âne ouïe du moi hyène hache Char Limagne (je dis bien) Chat relit ma hargne hampe erreur d'occis dent :

« *Mauve aise écho lié tu seras fécond te pâle à teint* »

Lobe ombre oie dague obère et ceins tes lois

Lèche oval lié ocre oies à de : « *Mon doigt ceint de nids !* »

L'œuf hisse dure oie j'en le bon à poux hâte y est :

« *Père preux nez gare dingue hoche*

Père preux nez gare dada d'ouate ! »

Je âne dard queue lard l'or haine :

« *Bouteille en glaise or d'œufs rances !* »

La puce ailée grillée enrouant par laids angles laids cricri : « *Nous sommes foutus nous hâves ombre hurlée hune ceinte !* » (Je dis bien) : « *Nous hommes pères dûs mousse savon brûle et hurle sainte !* »

J'île de raie (je dis bien) Chyle d'heure hait dit bar bœufs bleus fèle pas quête avait queue ça tend :

« *Sept ans ment gens de peu tigre arçon queue j'aime âme use*. » [*]

L'étang mot d'air ne

Lard nez sens :

Quatre rings de Mèdes ici :

« *Dix visées pour raie niée* »

---

* (Cf. l'abbé louve rage devin sang huis d'eau broc (je dis bien) vingt cent huit daube rôt un tutu *l'Eschyle doré*.) (*Les notes appelées par des astérisques sont de l'auteur.*)

France oie première appas vit :

> « *Tous tes pères dûs forts d'odeurs* »

En rite oie « *Homme à chair !* » (je dis bien)
« *Heaume hâche air !* »

En rit quatre :

> « *Raillez-vous à la ganache blanche !* »
>
> « *Pou l'eau peau !* »

« *Pante oie bras vœux gril on nous avons vingt culs et
tu n'étais pas là avec le tien !* »

L'ouïe quatorze : « *J'essuie leur oie-soleil !* »

> « *Laids tassez-moi !* »

L'où y quinze à fonte aux noix :

> « *Messieurs les Anglais mourez les premiers !* »
>
> « *Après moi le* DÉ… *!* »

Louise aise aime à rire en toilette :

Marie en toilette : « *Sinon pape hein qu'ils mangent
des gas tôt* »

Le curé hâle ouïe décapé : « *Mon Théo ciel pisse
des seins l'ouïe* » (je dis bien) « *pisse des cinq louis !* »

Loup hisse aise : « *Couic !* »

> « *L'âme or s'enfle rase !* »
>
> « *Houle et tombe ours de cent terres !* »

La raie vole hue sillon (je dis bien)

Lard Ève ô luth si on (je dis bien)

Rêve évolue Sion

Mire nabot homard qui des deux braizé

« *Monsieur allez dire à votre maître que nous sommes
ici par la volonté de l'Absurde et que les baïonnettes*
(oui laid bail honnête !) *du sens rassis se piqueront les
doigts avant de nous en déloger* »

Lent pire

Les gros nids art :

> « *Vive lampe horreur !* »

Nappe ô Léon en neige hip te :

« *Sol dodu ode ces pis rats humides cas rente sicles vous comptent amples* »

« *Solde ah je suis con tant de vous* »

Le pape pis anas pôle et on :

« *Comédie hantée crache édentée* »

Le peu tiroir d'heure homme :

« *Pipi caca popo lolo* »

Le gêné râle cambre aune (je dis bien) le jeai nez rat le camp broc nœud :

« *Mère de la gare dos meurt messe rampa !* »

La conque quête de la légère hi (je dis bien) La qu'on quête que dalle j'ai ri

Les mirabelles cas d'air nappe hue de ce mat-là

Sel à photo père bus-je eau !

Laids Zouzous hâves : « *Latte eut vue lac as quai tel à casse-quête l'étuve eut laitue la tue-vue là cas sec ghetto taupe herbue jeu haut* »

Laqué hère rôdeur sois sans taudis (je dis bien) Lac quai errent deux oies se hantent et disent (je dis bien) Là gueux héros déçoit sans honte aide hisse (je dis bien) l'équerre de Soissons t'aide Ys (je dis bien) La queue air de soi s'en tiédit (je dis bien) Élague ère de soie sans tes digues et redeçoit sans Teddy (je dis bien) Guet raide sou a cent et dix (je dis bien) Là guère d'eux disent oui sans sous à cent têtes d'y ceux (je dis bien) Laquais rat dessous à sang Thétis « *Il n'aime en queue pas un bout tonde guette rat* »

N'a peau Léon-le-peu tic à pie tue las aidant (je dis bien) Harpie tulle à cède-ans.

La gué air mont dit hâle :

« *S'élague air d'use-hure* » « *Thèse Ève houx mais fiez-vous laids orteils haine amie veaux et coûtent* »

L'aise alme an les sales menthes lèpre hue sienne aile et bâve-à-rois :

« *D'œufs tes chalands tube air hâle Hesse !* »

Les ans gais : « *A tisse aile angle ouais tous types rares hi hâte hisse l'ongle ouais tout de go !* »

Hésite à liens : « *Vie veut le maquereau nid et mousse au lit nie !* »

Lèse amerris-Caïns : « *La faille aide nous voit scie !* »

L'œuf rance : « *Aime air si fils de vache un gueu tonne !* »

Zut les pots l'eau nez qui resucent site en Corse où ! Les belles jambes racées parle à pâte rire qu'on est sente.

« ONT LES OS RATS ! »
« DE BOUE LES MORTS ! »

Et maintenant attend sillon
le heaume au goût d'eau entre l'étang :

« LE PROLÉTARIAT NE RIGOLE PAS[*] »

CHANSON FRANÇAISE
(sur l'air : *Savez-vous planter les choux*)

1

Si vous êtes devant le commissaire
Pour vous faire bien engueuler

[*] Vladimir Ilitch, *Lénine.*

Munissez-vous d'un clystère
Mettez-le lui dans le gosier

REFRAIN

Vive la gale, vive la gale
Vive la gale aux doigts crochus
Vive la gale vive la gale
Vive la gale au crou du tul

2

Si une jeune fille trop précoce
Escalade votre espalier
À seule fin de lui faire une bosse
Donnez-lui un petit coup de pied

3

Si elle joue à la pucelle
Ne manquez pas de protester
Je ne suis qu'un bec d'ombrelle
Vous allez me casser le nez

4

Si une femme vous désespère
En ne voulant pas vous aimer
Pendez-la à la patère
Jusqu'à ce qu'elle crie assez

5

Si dans l'ordre hiérarchique
Un supérieur vous ennuie
Traitez-le de porc pas épique
Ou de fœtus de parapluie

6

Si par un jour de soleil
Vous rencontrez un curé
Mettez-le dans l'appareil
Qui s'appelle l'écrase-curés

7

Si un général qui défile
dit chapeau bas devant le drapeau
Enfilez-le par les narines
Pour voir s'il pondra des veaux

8

Si un moustique vous chatouille
À l'intérieur des narines
Arrachez-lui les deux bouilles
Et supprimez-lui la fine

9

Si pour cet acte cruel
Un philanthrope vous blâmait
Répondez-lui Cher Abel,
Je recommencerai plus jamais

10

Si ce repentir l'amadoue
Et qu'il veut vous pardonner
Plongez-le dans la gadoue
Avec un air étonné

11

S'il a l'air un peu colère
En en sortant tout nerveux
Flanquez-le dans une soupière
Ça fera un bon pot-au-feu

12

Si un poète vous aborde
Pour vous lire ce qu'il a gié
Pendez-le au bout d'une corde
Par le plus petit doigt de pied

Malgré ce traitement sévère
S'il persiste à dégoiser
Enfoncez-lui dans le derrière
Le premier meuble que vous trouverez

Si ces couplets ô merveille
Commencent par vous lasser
Secouez-vous les deux oreilles
En vous prenant par le nez

Si le refrain parle de la gale
Il ne faudrait pas s'en étonner
C'est un charmant animal
Intelligent comme un Français

LA VIE MASQUÉE

Grande statue de femme en cire pâle et lourde
La statue qui pivote avec une lenteur effroyable toujours
Toupie tournant dans l'huile de dormir
Phare aux yeux fermés dont la face à éclipses
Ne projette que les rayons paralytiques de l'effroi

Grande prison de cire en forme de femme
Qui renferme muré dans le creux de son moule
Un cadavre vivant de femme
Mangeant l'intérieur de sa face de statue

À chaque tour de lenteur effroyable
Le cadavre vivant de femme muré
Pousse un seul immense cri silencieux
Qui fait imperceptiblement frémir la cire

Pour le spectateur envoûté
Au premier tour la face est masquée d'un nuage
Rouge et qui s'étire
Comme la pieuvre du sang au fond des mers

Au second tour la face apparaît noire et close
Comme un masque de suie pulvérulente et grasse

Au troisième tour avec une lenteur effroyable
La face découvre ses dents

Le spectateur s'endort

Se réveille muré
Dans le ventre vivant du cadavre moulé de cire
Dans un monde tournant de lenteur effroyable
Plein de scies et de rats

L'AMOUR

L'ÉPAISSEUR D'UN POIL

Sous les déluges
Les avalanches
Jouissent
À plat
Sur la tête

LES RADIS CONTIENNENT
DU RADIUM

Le radis rose
Du radis homme

Le radis gris
Du rat dit homme

Il fait un somme
Au paradis
Du radium

LA SAGESSE INUTILE

L'homme cherche l'amour et le pou cherche l'homme
L'homme cherche le pou qui se cache prudent
Dans la forêt des poils où l'homme trébuchant
Les yeux bandés cherche l'amour colin-maillard

LES FRONTIÈRES DE L'AMOUR

Entre les lèvres du baiser
La vitre de la solitude

L'ART DE LA DANSE

I

L'ART FRANÇAIS DE LA DANSE

En place pour le quadrille
Les vingt et un doigts du corps humain sur une même
   ligne
Par ordre de taille en pente douce
Le premier le tambour-major

II

Cris de peau du tambour
Des paumes qui se giflent

L'oiseau hippopotame
Au cœur sourd du tambour

L'hippopotame danse
Si l'oiseau bat de l'aile

Plumes de corbeaux
Les pailles les peaux

Et les rides blanches
Des masques-mystères

Trémolo des queues
Des peaux des renards

Houle des ceintures
C'est le roi sauvage

L'œil du ventre des femmes
Danse cligne et chavire

Les pieds en cadence
Commencent à chanter

Les pieds piétinant
Le ventre des mères

Les pieds entêtés
Fouillant les entrailles

Des terres le long
Du fil de l'échine

Monte le tonnerre
En fer du délire

Les faces s'effacent
Entre les épaules

Absence de tête
En forme de trou

Trou de la serrure
À la clé de ciel

Où danse un feu noir
Miroir du zénith

III

L'ART DE LA DANSE ET DU CRISTAL

1

Je m'écorche aux cristaux qui dansent dans mon
corps

Sur le gel en fleur du cristal
Coule l'ombre imperceptible de l'eau noire
De moire aux reflets en lueurs de l'ombre

Le cristal bat de l'aile de ses angles
Ses lèvres murmurent
Le chant du mercure et du prisme

Le cristal sourit
Blanc comme un éléphant
Et la dame blanche de la peste

Sur l'océan solide et les gemmes du sel
Danse en flambant pointu tout au fond de ton cœur
Dors emmitouflé dans ta tête

Je sonne de fer et je crie de loups
Devant la mobilité rétractile des sources
En verre filé de lune roulante et grondante

Des montagnes jaillissent salubres
Dans les fentes des lames de la mer

Dans les fentes des lames de parquet de la mer
S'étale un fouillis chanteur de cristaux
Aiguisant leurs angles à ma vue toute dansante et
    chantante de larmes

Sauvages de moi donnez l'assaut dans ma poitrine
Je vais m'illuminer dans la coque du feu
Et danser dans ma tête en cheveux sur les dents

FAIRE L'AMOUR

I

Amour souterrain
Source du Zambèze

Château de la nuit
Palais des mamans

Citerne sans fond
Miroir de la lune

Soumise aux marées
Sœur de l'océan

Caverne de glace
De glace brûlante

Antre de la flamme
Et grotte du sang

Stalactites rouges
Blanches stalagmites

Où vient se coucher
Le soleil couchant

Entonnoir du ciel
Ventouse du monde

Ô gueule édentée
La petite étoile

Luette sans glotte
Sanglote en bavant

Ô maison muqueuse
Ô patrie lointaine

Repaire du feu
Qui naît en frottant

II

Appel de la lune
Hissant l'obélisque

Cavales sans rênes
Les reins ont des ailes

Les bons reins sautés
Les reins ont la reine

Les reins dans l'arène
S'en vont en chantant

Les reins dans la reine
Se vident en dansant

Ô mes castagnettes
Mon Himâlaya

Offrande de l'eau
Offrande du sel

Sainte caravane
Des animalcules

Pompés aspirés
Par l'aspiration

Trompette de l'ange
Coup de casse-noisette

Lumière aveuglante
D'éclipse totale

Évidente et fausse
Illumination

Éclair de la foudre
Qui meurt en naissant

III

Tourmente apaisée
Berce la nacelle

La nef des momies
Le vaisseau dormant

Somnambule mort
Après le tourment

Du vert qui tonne
Du verre qui sonne
Le VER qui HOMME

SACRE ET MASSACRE DE L'AMOUR

I

À l'orient pâle où l'éther agonise
À l'occident des nuits des grandes eaux
Au septentrion des tourbillons et des tempêtes
Au sud béni de la cendre des morts

Aux quatre faces bestiales de l'horizon
Devant la face du taureau
Devant la face du lion
Devant la face de l'aigle
Devant la face d'homme inachevée toujours
Et sans trêve pétrie par la douleur de vivre

Au cœur de la colombe
Dans l'anneau du serpent

Du miel du ciel au sel des mers

Seul symbole vivant de l'espace femelle
Corps de femme étoilé
Urne et forme des mondes

Corps d'azur en forme de ciel

II

Territoire fantôme des enfants de la nuit
Lieu de l'absence du silence et des ombres
Tout l'espace et ce qu'il enserre
Est un trou noir dans le blanc plein

Comme la caverne des mondes
Tout le corps de la femme est un vide à combler

III

L'aube froide
Des ténèbres pâles
Inonde les pôles
Du ciel et de la chair

Des courants souterrains de la chair et des astres

Au fond des corps de terre
Les tremblements de terre
Et les failles où vont les volcans du délire
Tonner

Entez sur le trépied
Celle qui hurle
La bouche mangée
Par l'amertume
En flammes du laurier de gloire
Écume
De la colère des mers
La femme à chevelure
D'orages
Aux yeux d'éclipse
Aux mains d'étoiles rayonnantes
À la chair tragique vêtue de la soie des frissons
À la face sculptée au marbre de l'effroi
Aux pieds de lune et de soleil
À la démarche d'océan
Aux reins mouvants de vive houle
Ample et palpitante

Son corps est le corps de la nuit
Flamme noire et double mystère
De son inverse identité qui resplendit
Sur le miroir des grandes eaux

IV

Visitation blême au désert de l'amour

Aveugle prophétesse au regard de cristal
Que les oreilles de ton cœur
Entendent rugir les lions intérieurs
Du cœur

Le grand voile de brume rouge et la rumeur
Du sang brûlé par le poison des charmes

Et les prestiges du désir
Suscitant aux détours de ta gorge nocturne
La voracité des vampires

Danse immense des gravitations nuptiales
Aux palpitations des mondes et des mers
Au rythme des soleils du cœur et des sanglots
Vers le temple perdu dans l'abîme oublié
Vers la caverne médusante qu'enfanta
L'ombre panique dans la première nuit du monde
Voici l'appel la trombe et le vol des semences
L'appel au fond de tout du centre souterrain

Danseuse unissant la nuit à l'eau-mère
Végétal unissant la terre au sang du ciel

V

Comme Antée reprend vie au contact de la terre
Le vide reprend vie au contact de la chair

Je viens dans ton sein accomplir le rite
Le rythmique retour au pays d'avant-naître
Le signe animal de l'extase ancienne

Je viens dans ton sein déposer l'offrande
Du baume et du venin

Aveugle anéanti dans les caves de l'être

Mais qui saurait forcer le masque de ta face
Et l'opaque frontière des peaux

Atteindre le point nul en soi-même vibrant
Au centre le point mort et père des frissons
Roulant à l'infini leurs ondes circulaires
Tout immobile au fond du cœur l'astre absolu
Le point vide support de la vie et des formes
Qui deviennent selon le cercle des tourments
Le secret des métamorphoses aveugles

D'où vient l'espoir désespéré
D'amour anéanti dans une double absence
Au sommet foudroyé du délire
Acte androgyne d'unité
Que l'homme avait à jamais oublié
Avant la naissance du monde

Avant l'hémorragie
Avant la tête

Paroles du Thibet
Il est dit autrefois
Qu'errant éperdue dans l'informe
Éparse dans l'obscurité
La pauvre ombre sans graisse du mort
La bouche pleine de terre

Dans le noir sans mémoire tourbillonne il fait froid
L'espace ne connaît que le glissement glacé des larves
Soudain
Si phalène que tente une lueur lointaine
Elle aperçoit la caverne enchantée
Le paradis illuminé des gemmes chaudes
Le règne des splendeurs et des béatitudes
Aux confins du désir essentiel
Qui jamais satisfait perpétuel se comble
À l'appel enivrant d'odeurs vertigineuses
Qu'elle y entre
Ombre morte
Et s'endorme
Pour se réveiller à jamais enchaînée
Engluée aux racines d'un ventre
Fœtus hideux voué pour une vie encore
Au désespoir des générations
Roulé par la roue de l'horreur de vivre

Du vieux fœtus aïeul
À notre mère putride
La pourriture aïeule
En robe de phosphore

La reine démente
Qui fait et défait
Les destins et les formes

Et du corps étoilé
De l'éternelle femme
Livre les ossements à l'honneur de la cendre

Impose à l'orgueil de statue des chairs
L'horizontalité effroyable de l'eau

LA MORT

UN SOIR

Un soir Il viendra vous surprendre
Mais apprenant soudain que Il
C'est trois boules multicolores
La peur vous allume la tête

Sous ce diadème de boules
Et la colonne de mercure
Un homme se trouve si seul
Qu'il en demande un ciel au ciel

Ne sachant pas encore ou plus
Que par des chemins inconnus
À cette heure monte vers lui
Annoncé par l'oiseau tempête

Le cheval volcan de tout feu
Né du frottement des trois boules

LA NÉNIE DU BON VIEUX

Le bon vieux est mort
Il ne coulera plus
De toute la majesté fluviale de sa barbe

Le bon vieux est mort
Il ne rira plus
De la façon inexpressive qui lui était si particulière

Le bon vieux est mort
Il ne pourra plus
Faire à tous les enfants des misères

Le bon vieux est mort
On ne dira plus
Qu'il était perpétuellement en colère

Le bon vieux est mort
Il ne jouera plus
À faire rouler les tonnerres

Le bon vieux est mort
Il ne régnera plus
Au ciel et sur la terre

Le bon vieux est mort
Pourrissant trésor
Il dort l'œil ouvert

Sous le tas des terres

FORMULE PALINGÉNÉSIQUE

Sur l'éparse viande des morts
Jetez la poudre des griffons
Pour que d'un cadavre en haillons
Naisse un fantôme dont le corps
Veuf de sang orphelin d'eau-mère
Se sculpte au sel marin des pleurs
Dont le cristal d'essence amère
Mime le nombre de la fleur

De la fleur-serpent de l'abîme
Fleur du soleil noir qui fascine
Fleur-vertige des mondes creux

Cette fleur par son cœur de perle
Étant la sœur de ce nouvel
Intersigne et spectre-de-sel

ABSENCE VORACE

Jamais jamais le sang lumineux qui n'est pas
Le don du mot sombré dans l'ombre sans mémoire
Et la trombe tournant au fond du puits des yeux
Perdus crevés sanglants et bleus où la mort glisse

Ô glissade des morts parois des précipices

Qui n'est pas qui n'est plus ne sera plus jamais
L'impersonnel instant d'éternité du vide
La soif du creux qui hante un volume à vouloir
Se nier en s'invaginant figure d'ombre

Ô masque de la mort aux yeux de précipices

L'appel hurle du noir à vaincre le vain jeu
Des épaisseurs et des couleurs comme des lignes
Rien est un bloc de marbre absolu qui tient tout
L'espace irrévélé dans son unité seule

Morts aux masques joyeux rires de précipices

La chair tombe et la nuit au château sidéral
Et le désert s'enfonce immensément au centre
Du circuit infernal des horizons rompus
Ventre dont l'ombilic est l'antre prophétique

La mort masquée y crie un cri de précipice

Ces grands cris de silex au signe étincelant
Le vent drapant le sable en forme de fantômes
À qui les yeux du ciel prêtent un regard fou
Font le sabbat d'absence au fond des solitudes

Mort démasquée absence au cœur du précipice.

LA MORT NOCTURNE

Dans le ciel de la nuit
Tête de bois
Bande de faims

Dans le bois de la faim
Tête de nuit
Bande de ciel

Dans la nuit de la fin
Tête bandée
Ciel en bois.

LE NOYÉ NOYAU

Un noyé dénommé Noyau
Tomba dans l'eau comme une enclume
Par un soleil de clair de lune
Commentaire Il aimait trop l'eau

Or tous les Noyaux aimaient l'eau
Mais ils restaient à la surface
Pour faire voir leur belle face
En en cachant l'envers qui dit-on n'est pas beau

Mais ce noyau qui fut noyé
Dénommé le Noyé-Noyau
Avait pris le bas pour le haut
C'est ainsi que son corps devint mort car noyé

MORALITÉ :

Si vous vous dénommez Noyau
Noyez-vous sans remords ni crainte
Et votre fin paraîtra sainte
À Dieu qui sachant tout sait que noyénoyau

LE PENDU

Au creux de l'estomac
Toute l'angoisse du monde
Qui serre
Le nœud coulant

SUPPOSITIONS MORTELLES

I

Un jour se réveiller tout noir
Et privé du seul don de la vie de délire
La souffrance

Ou bien juste une seconde
Après la fin du monde
À jamais réveillé sans rien dans le blanc

III

S'endormir
Se rêver mort
Ne plus jamais se réveiller

LA TÊTE À L'ENVERS

Pourquoi mourir encore alors qu'on vient de naître
À la vie à la mort

Sous le rire concave du ciel
Quand la nuit ronge

Que la tête à l'envers sombre sous l'horizon
Lestée d'un poids universel à la mâchoire
Hantée d'un vide universel à la mémoire

Défoncée aux portes des tempes
Un trou criard dans l'occiput

L'imagination peuplée de rêves roses
Qui s'ébattent au marais implacable du sang et de l'eau

Les yeux crevés retournés qui se perdent
Au vertige sans fond de leurs tunnels internes

Et déjà les cils grandissent et blanchissent

Entre les tempes tendues
S'étendent sans fin des steppes de nuit
Barrées à l'horizon par la banquise

Le grand mur blanc sans issue de la nuit

Et la tête engloutie dans la mer des ravages
Meurt de dormir

L'AILE D'ENDORMIR

Il remontait si loin le courant de sa vie
Qu'il se trouvait perdu au pays à l'envers
Où l'on erre avant la naissance

Il rêvait rêvait-il
Il changeait de planète
S'éveillant s'endormant sans cesse et tour à tour
Au tic tac cérébral de l'horloge du sang

S'endormant chaque fois dans des sommeils plus creux

S'éveillant chaque fois plus loin dans la lumière
Plus près du feu
Plus bas dans l'eau mortelle des ténèbres

Sa couche le berçait somptueuse litière
Attelée d'épaules ailées
Puis l'immobilisait de l'arrêt dur des pierres
Que dressait son tombeau

Le va-et-vient sorcier de l'aile d'endormir
Faisait de ses yeux morts jaillir des étincelles
Puis au retour effaçait son regard

Et ses yeux repartaient en si lointain voyage
Que ses orbites se creusaient
Et crispaient comme des lèvres d'amertume ses
    paupières

Il se sentait grandir à devenir le ciel
Devenir le beau temps pleuvoir faire arc-en-ciel
Et puis les meules de l'espace l'écrasaient
Et l'aplatissaient comme une ombre...

(À suivre.)

LE FILS DE L'OS

Sorti de l'empyrée des océans supérieurs
Sorti du zénith des cieux souterrains
Le petit bout d'os
Le fils de l'os mon beau poisson
Miroir transfigurant os à jus

Face pâle incendie des miroirs colorés déteints mais
    déformants
Pleure ricane
Car le jour qui se lève est le jour de l'affront
Du blanc
Le grand jour blanc qui passe à travers les murailles
De boue
Mais parle au moins dis quelque chose
Et surtout tais-toi ne fais pas peur
Dis quand même que
Ce jour ne passera pas sans poches
À explosions inimaginables
Et qu'il pleuvra
Du beurre et du sang agglutinés
Alors le fils de l'os s'endort en s'éveillant et dit
Renoncule somnambule
Que le chapeau haut de forme qui recouvre les maisons
    ne doit pas décevoir
Je souffre
Et j'aime
Un œuf de pou particulier et ta sœur
C'est pourquoi j'imagine un immense délire
Où se noie l'ivre-mort qui croit apercevoir
L'aurore horrifiée dont on ne peut que dire
Qu'elle porte en son sein l'immense amour du noir
Que les hommes explosion à faces d'étincelles
On n'en fait plus
Ou si peu
Que les queues
Des serpents à sonnettes et des dieux
Sonnent amphigouriques à mort
La mort en dentelles des morts
Miroir en plâtre

En dansant avec des danseuses si belles
Qu'elles échauffent
Des danseuses si belles
Que leur beauté fait penser à l'œuf
À la houle à la mort
Le fils de l'os s'éveille en s'endormant et dit
Bonjour
Vous ne pouvez y croire mais cela arrive
Pourtant
Il fait bleu il fait soif il fait boire
Il fait feu il fait noir il faut boire
Et manger
L'hostie le beefsteack le sandwich le calice
La Palisse et ta sœur
Si belle
Qu'elle en crie
Comme aux jours trépassés où sa beauté naquit
Parmi les pleurs les schistes les glaives et les rois
Qui ne pouvaient survivre à leurs désastres rocailleux
Et moins encore à eux
Le fils de l'os tout écailleux s'endort en s'endormant
    et bien éveillé dit
Bonsoir
Et ajoute poire sans savoir pourquoi
C'en est trop
On l'agrippe par chèvre-feuille qui chèvre-pied
Mais juste
À ce moment béni des oiseaux de leurs plumes
Le fils de l'os marche sur la tête
De ses pieds
C'en est trop l'entrepôt est bondé
Jusqu'à la garde
Barrière républicaine et myope

Alors le fils de l'os s'endort en s'éveillant
Et crie
À cause de la journée de huit heures
On ferme
Aussitôt les fermes répondent à son appel
Bondissent en mugissant de toutes leurs vaches à cornes
Alors le fils de l'os disparaît en disant
Adieu
Dieu paraît c'est la fin de tout donc il faut rire
Mais le fils de l'os pleure
Et son délire empire
Nul ne sait calmer
Sa colère collant l'air où nul ne sait aimer
Sa sœur
Qui devient tricolore et sournoise
Et pleure
Sa sœur laitière où Dieu par les cornes veut boire
Sans soif
Alors le fils de l'os se corne en mugissant les vaches

Le chapeau des maisons devient mansuétude
Pour faire rire tout le monde et les dieux
Qui pleurent leurs cornes
Dévorées à jamais par le fils de l'os qui crie c'est
Assez
Les cétacés arrivent c'est une baleine
De corset
Qui crie à boire le jus
Du fils de l'os de dieu de la vache
Dont les cornes empestent
Ma joie délirante
Malheureusement se suicide
Par mégarde républicaine et vache

Dont les cornes et les dieux
Ont soif également
Et chapeau haut de forme
Qui pleure
Sur le fils de l'os de dieu dont les cornes sont vaches
Pour le toréador plein de mansuétude
Qui pleure
Sur le sort de la vache qui chante
Chante chante chante
Sans savoir au juste pourquoi

LE FILS DE L'OS PARLE

Je frappe comme un sourd à la porte des morts
Je frappe de la tête qui gicle rouge
On me sort en bagarre on m'emmène
Au commissariat
Rafraîchissement du passage à tabac
Les vaches
Ce n'est pas moi pourtant
Qui ai commencé
À la porte des morts que je voulais forcer
Si je suis défoncé saignant stupide et blême
Et rouge par traînées
C'est que je n'ai jamais voulu que l'on m'emmène
Loin des portes de la mort où je frappais
De la tête et des pieds et de l'âme et du vide
Qui m'appartiennent et qui sont moi
Mourez-moi ou je meurs tuez-moi ou je tue
Et songez bien qu'en cessant d'exister je vous suicide

Je frappe de la tête en sang contre le ciel en creux
Au point de me trouver debout mais à l'envers
Devant les portes de la mort
Devant les portes de la mer
Devant le rire des morts
Devant le rire des mers
Secoué dispersé par le grand rire amer
Épars au delà de la porte des morts
Disparue
Mais je crie et mon cri me vaut tant de coups sourds
Qu'assommé crâne en feu tombé je beugle et mords
Et dans l'effondrement des sous-sols des racines
Tout au fond des entrailles de la terre et du ventre
Je me dresse à l'envers le sang solidifié
Et les nerfs tricoteurs crispés jusqu'à la transe
Piétinez piétinez ce corps qui se refuse
À vivre au contact des morts
Que vous êtes pourris vivants cerveaux d'ordures
Regardez-moi je monte au-dessous des tombeaux
Jusqu'au sommet central de l'intérieur de tout
Et je ris du grand rire en trou noir de la mort
Au tonnerre du rire de la rage des morts

LE GRAND ET LE PETIT GUIGNOL

Nous étions dans la houille et tu parlais de mort
Les destins passaient rouges en hurlant
Les moutons de la mer se suicidaient
En heurtant du crâne les roches des rives

Nous étions dans la mer et tu parlais d'embruns
Aux bulles de la mer imbuvable
Les poissons du ciel passaient aux lointains
Nous étions prisonniers des pieuvres et du sable

Nous étions dans le noir et tu parlais d'espoir
L'heure est passée il n'est plus d'heure
Le ciel renversé comme un bol se vide
Dans le trou du noir

Nous étions dans les pierres et tu parlais encore
Du sang qui fait mal et des larmes
Nous étions arrivés au tréfonds des bas-fonds
Nous étions dans les glaives

Nous étions dans le feu tu parlais du suicide
Universel

LE VIDE ET LE VENT

LE VIDE DE VERRE

Un palais aux murs
De vent

Un palais dont les tours
Sont de flamme au grand jour

Un palais d'opale
Au cœur du zénith

L'oiseau fait d'air pâle
Y vole vite

Laisse une traînée blanche
Dans l'espace noir

Son vol dessine un signe
Qui signifie absence

Toi qui hurles sans gueule
Mords sans dents
Fascines sans yeux
Face creuse
Toi qui fais bondir la pantomime des ombres et des
    lumières
Coupes sans faux
Arraches claques et bats
Sans bras sans mains sans fouets sans fléau
Fléau toi-même vent levant du Levant
Toi qui mets le tonnerre au cœur de la forêt
Et fais courir les géants de sable au désert
Père des vagues des cyclones des tornades
Déformant d'hystérie la face de la mer
Jusqu'à la trombe
Coït de l'eau salée et du ciel sucré
Char ailé de la dame blanche reine des tempêtes de neige
Toi qui bossues les dunes
Et les dos des chameaux
Toi qui ébouriffes la crinière des lions
Qui fais gémir les loups
Et chanter les roseaux les bambous
Les sistres et les harpes
Toi qui fais tomber les pots de fleur sur les sommets
    des citoyens pour leur ouvrir la tête siège de la com-
    préhension
Et descendre les avalanches dans les vallées pour les
    emplir
Toi qui berces les ailes étalées du sommeil de l'oiseau
    sans pattes

Qui naît en l'air
Et va se suicider aux cimes coupantes du ciel
Toi qui trousses les cottes
Et dévastes les côtes
Les côtes en falaises et les côtes en os
Toi qui horripiles les peaux
Secoues les oripeaux les drapeaux les persiennes
Les plis des manteaux des voyageurs égarés les arbres
Les fantômes et les allumettes perdus dans l'immensité
Toi qui ondules les ondes et les chevelures
Fais cligner les yeux et les flammes
Claquer les oriflammes
Grand voyou chérubin démesuré
Clown des tourbillons
Sculpteur de nuages
Roi des métamorphoses
Toi qui fais vivre éperdument les choses qui sans toi
Seraient vouées à l'inertie la plus plate
Immense père des spectres et des frissons
Toi qui animes la gesticulation des rideaux mystère
Dans les châteaux hantés
En gueulant partout
Dans les couloirs les cheminées et les fosses d'aisance
Toi qui fais voyager la pluie et le beau temps
Quand ils s'ennuient
Et t'amuses à faire peur aux petits oiseaux
En agitant les épouvantails à moineaux
Polichinelles sans fils
À moins que tu n'introduises dans ces simulacres en
   haillons
Les âmes trémoussantes des morts de mort
Violente et criminelle

Toi qui fais tourner le lait des nourrices les aiguilles
des montres les tornades et les moulins à vent
Toi qui effrayes les enfants emmerdes les parents
Fais la joie des pirates et des voiles
Des pirouettes des feuilles
Et des girouettes que tu prends pour des girouettes
Toi par qui tremblent les trembles
Et trébuchent les vieillards pitoyables
Sans cœur Affreux Dégingandé Vicieux
Alizé mistral tramontane simoun de malheur vilain
sirocco
Toi qui retournes comme des omelettes les jolis bateaux
Et les avions comme des pétales de rose
Toi qui joues aux ballons avec ceux d'entre eux
Qui ne sont pas captifs ou qui ne le sont plus
Toi qui tortilles la raideur des tuyaux de poêle
Assassin des cheminées voleur de chapeaux
Apache Jeteur de poivre aux yeux
Père du hâle qui aime les peaux Face de rat
Toi qui étires les formes
Déformes les visions
Et fais aux parois de l'univers des déchirures et des
dentelles frémissantes
Toi qui portes le son comme un nourrisson
Toi qui fais courir la lune sans arriver à faire trembler
l'arc-en-ciel
Vent du large
Toi dont le souffle égal et la rumeur chantante
Bercent endorment tes adorateurs maritimes
Le jour
Toi qui renverses à minuit sur les hommes
La grande urne de l'insomnie la sueur des cauchemars
et l'éboulement écraseur de l'angoisse

Tant tu pleures et gémis
Vent noir des nuits dans ta solitude affreuse Écorché
Toi qui sèches les larmes
Toi qui sèches le linge
Terreur des bouts de papier des concierges des
    navigateurs timorés des insectes des caravaniers des
    armateurs des armatures de parapluie des ornements
    de la toilette féminine de certaines grosses bêtes et
    des personnes sensibles et nerveuses
Toi qui réjouis les pilleurs d'épaves et le pétrel des tem-
    pêtes les cheveux lyriques les gouttes d'eau et les pous-
    sières qui dansent le pollen amoureux le frisson des
    moissons le cerf-volant le camp-volant le vol-au-vent
Et les gens peu recommandables
Je n'ai pas peur de toi
Je te dis Vent bonjour
Je te dis Bonjour Vent
Emporte mon bonjour
Au pays du Levant
Et maintenant
Vent rageant cinglant
Fous le camp
En agitant tes grands bras mous méchants
Et en courant sur tes grandes jambes pâles munies de
    pieds invisibles mais gigantesques
Adieu vent
J'oubliais rendez-vous au zénith à l'auberge de la rose
    des vents
Et sans rancune

Mais
Si jamais

Contre l'os interdit de mon front
Tu déchaînes ta rage à la voix de tonnerre
Ta colère aux gestes d'orage
Ta vengeance ouragan
Alors ô père vent
Jusqu'à tarir ton divin sang
Plus ancien que les eaux de l'abîme océan
Jusqu'à tarir ton souffle aïeul des dieux vivants
Et fossoyeur de leurs cadavres
Jusqu'à l'effacement
De l'antique regard absent
Qui fit naître la nuit au fond de tes yeux caves
Jusqu'au silence jusqu'au blanc
Je te fouetterai vent esclave

Je te fouetterai vent

LE FEU DU VENT

Il est dit qu'avant
Les temps et les lieux

Seul le vent vivant
Tournait dans le vide

Le souffle du creux
Antérieur au cœur

Et du frottement
De son tourbillon

Naquit le point d'or
Du feu primitif

QUAND VIENDRA LE JOUR
DU GRAND VENT

Le vent remue à peine à la pointe du ciel
Et grandissant en soi
Se pensant plus vivant
Et plus vaste et mouvant de l'instant en l'instant
Le vent effraye
La pointe de feu du ciel Peur

Ton cœur de marbre noir ô rose d'ombre ô nuit
Nourrit par sursauts étouffants trop brusqués
L'arbre tonnant de tes veines
Le spectre de corail de tes artères

Ton cœur sentant qu'on frôle en lui
Au centre cachée
La perle inconnue

Et voici le grand vent qui mêle les étages
De l'espace

Cap d'ombre au seuil des nuits d'où sortir météore
Va-et-vient d'arc-en-ciel sur le cristal du soir
Ce qui va ce qui vient c'est la hache des ailes
Décapitant l'espace ivre de lambeaux noirs
Chaos engloutissant les faces et les masques

C'est le moment du silence qui hurle Éclair
Un frisson de la terre engloutit les marées
Sous le vent des fantômes
La terre est parcourue du frisson de la mort

Aux plages hautes de l'étendue
Dans les antres d'éther du feu
Au roc bouillant céleste
Le grand vent des métamorphoses
Travaille les formes
Monstres multicolores hydres d'arc-en-ciel
Étoiles de mer et de ciel
Étoiles d'air séparées de l'air par nulle membrane
Changeantes et multiformes idées

Quand le grand vent pénétrera
Nul ne sait la couleur que prendra la lumière
Sur l'aspect de prodige des beaux monstres créés
Quelle éclipse de peur quels incendies d'effroi
Le grand vent allumera
Aux espaces inférieurs où rôde le soleil
Roi des bas-mondes.

LE VENT D'APRÈS
LE VENT D'AVANT

Depuis jamais
Je sais toujours
Souvenir d'avenir après toute vie révolue

Prévision d'autrefois d'avant tout mouvement
Avant que soit
Le premier mouvement le vent
Pour quel crime immense inconnu
D'un juge qui n'est que moi-même
Ma condamnation au présent à perpétuité
Éternité
Depuis jamais
Je sais toujours
Prévoir me souvenir du vent qui vient de plus loin que
    la lune
Et les étoiles
Le vent de bêtes légion
Qui glisse de plus loin que l'humaine illusion de tout
    l'espace oblong
Le vent de bêtes et de griffes
Qui hurlent dans les caves du ciel
Déchirent des lambeaux de soie noire aux parois
    supérieures de l'éther
Le vent qui vient de plus loin que tout l'espace plein
Le granit d'un seul grain de granit
Granit sans grains
Le granit plein
Le vent qui vient de plus loin que l'éternelle limite
Où le marbre est perméable au tulle
Et les étoiles alvéoles perméables à l'éther dentelles
Le vent qui n'a jamais dépassé
L'ourlet croquant de mon oreille
Le vent qui n'a jamais pénétré sous mon crâne
Jamais fait résonner les grottes de mes tempes
Le vent qui secoue l'étendue onduleuse de tout
Mais le vent qui ne peut secouer moi le vide
Le trou d'absence dans le monde

Le défaut du cristal le crachat de l'émeraude
L'entonnoir le trou

Espace que détient mon corps statufié dans l'espace
Mon corps est le seul lieu où je ne me sais pas
Le seul lieu où je ne sois pas
Moi qui suis le vent d'avant tout mouvement
Le vent vivant après toute vie révolue
Le vent qui vient de plus loin que la forme oculaire de
    l'infini de l'homme
Limite de souffrance la peau la seule opacité
Nuit du tambour increvable
Que les volcans du vent fassent éclater mon crâne
Retournez-moi comme un gant
Dévaginez-moi jetez-moi nu tout vif écorché à l'amour
    souterrain de l'ombre de l'envers du monde

Arrachez la viande de mes joues
Pour que je voie enfin mon rire de mort

L'INCANTATION PERPÉTUELLE

    Ce masque atroce instantané
    La stupeur-solitude
    Le fige à la surface
    Du vieux torrent de chairs en chairs
accidentelles

    Ce masque atroce instantané
    De stupeur-solitude
    Ta face

Que la grande rafale l'efface en fasse
Un néant brillant un vide éclatant
aveugle-voyant des ténèbres blanches
Être à jamais la proie du vent

Le miroir noir

CHANT DE MORT
CRISTAL D'OURAGAN

Le feu terrestre meurt au cœur toute lumière
Déchirante blêmit au péril du couchant
Tu voulais attester l'or du feu par ton chant
Le vainqueur noir chante la mort de la lumière
Homme au regard panique exilé de toi-même
Le soleil de la soif aspirait ton sang pur
Voici le cristal noir voici le gel obscur
Le glacial cristal éternel de toi-même
Et des astres peinant aux lointains d'agonie
Lueurs sanglots vibrant aux distances qu'ils nient
Pour le sang de ton cœur battements fraternels
Que t'importe la mort de ton soleil mortel
Le vieux tonnerre roule aux gradins des orages
Les lances des éclairs dans ta gorge de fiel
Hurle éclate et disperse-toi par les étages
Du haut espace aux cimes creuses du plein ciel
Né du feu bas connais l'origine sauvage
Où l'aspiration de l'abîme fait rage
Vide plein flamme aveugle et trou noir du soleil
Sombre éveillé debout au cap du grand sommeil
Écartelé vivant déchiré de toi-même
Centre en exil de tout
                    Roi proscrit
                        Monstre extrême

DANS LES YEUX DE LA NUIT

Une femme s'endort sur un toit c'est la nuit
Abandonnée antique au péril du vertige
Aux traîtrises rêveuses des gestes du sommeil
Songeuse ensevelie en glissades mortelles
Sur le haut toit déserte glace tendue face à l'espace
Sur le zinc oxydé de vieux soleil tueur
Et de lune ancienne empoisonneuse en larmes
La grande somnambule y crie de tous ses ongles
De ses doigts déments naissent des diamants crissants
Et des gouttes de sang qui chantent en dansant
La danse en perles du mercure
Vers la femme qui dort sur le monstre du vide
Une cheminée fume un nuage en haillons
Dans la soie noire de la suie le vent des nuits
Dresse une tente errante
Creuse l'antre céleste nomade
Pour l'adoration des yeux prodigieux
De la femme endormie aux paupières battantes
Ses trop longs cils vibrants émeuvent les rayons
Des étoiles rétractiles
C'est la nuit la dormeuse un œil clos l'autre ouvert
Tout le monde à jouer contre ce qu'elle voit.

LA SAINTE ENFANCE

OU

SUPPRESSION DE LA NAISSANCE

Je parlerai du noir
Poupée de porcelaine
Enfouie dans l'humus de la forêt oublieuse et traîtresse
Où dansent les squelettes en robes d'araignées
Des feuilles mortes en dentelles
Je parlerai du noir
Au souffle des cavernes
Dans la champignonnière aux yeux phosphorescents
Je parlerai du noir aux escargots noués
Je parlerai du noir
À la pluie à la suie
Au cercle d'eau de lune étale au fond du puits
Aux tonneaux qui roulaient dans la cave à minuit
Quand la dame blanche gémit
Je parlerai du noir
À l'envers des miroirs
Je parlerai du noir
De l'immortel tourment
Du plus vieux désespoir
Devant le monde absent
Alors qu'il fera blanc
Je parlerai de voir
Toujours en m'endormant
Cette femme endormie
Sur la terre en pleurant
Admirable tête de morte
Voilée de noir espoir d'enfance assassinée

Un mauvais regard bat des ailes
Près du lit vide ensanglanté
Il faudra pendre l'accouchée
Pour le crime ancien des limbes
Le mort-né retourné vers son lieu d'origine
Ne croira pas au jour menti par le soleil
L'air noir n'a pas souillé le seuil de sa poitrine
Sans que palpite sa narine
Sans que son œil s'entr'ouvre à l'atroce réveil
La vie reniée avant d'être
Il s'en retourne au lieu de naître
Par le fil qui relie le nombril au zénith
Aux sources de cristal des merveilles du vide

DEUIL D'AZUR

Comme un cœur ruisselant
De lentes larmes pâles
Sous ce masque de perles
Étouffe un grand cri rouge
Étrangle le hurleur
Du sang tourbillonnant cyclone
L'oiseau pourpre abattu
De l'arbre de la vie
Les pieuvres du vertige
De tous leurs bras l'étreignent
Une agonie en proie
Aux baisers des ventouses
Palpite et frissonne
De plumes éteintes

À son dernier sursaut
Bat d'une aile brisée
Dénonçant la présence
Immobile des mortes

LA CHANSON DU PRISONNIER

J'errais dans les pierres
La pierre a crié
Et la bête immonde
M'a ensorcelé
Oublieux des ciels
Oublieux des heures
Où naissent et meurent
Lunes et soleils
Prisonnier des pierres
Dans un noir cachot
J'ai souffert du froid
J'ai souffert du chaud
Remonter au jour
Chez les rossignols
Cela m'a semblé
Par trop ridicule
Et pour retrouver
Les hommes toujours
Plus sourds plus aveugles
Plus seuls que les pierres
La pierre écrasant moins
Que le sommeil des hommes
Celui qui s'est un jour
Réveillé pour toujours.

JE VEUX ÊTRE CONFONDU…
OU
LA HALTE DU PROPHÈTE

À Claude Sernet

Vous vous trompez je ne suis pas celui qui monte
Je suis l'autre toujours celui qu'on n'attend pas
Ma face sous le masque rouge gloire et honte
Tourne au vent que je veux pour seul guide à mes pas
J'assumerai l'immobilité des statues
Sous la colère de l'orage aux gestes tors
Qui rompt au sol vos fronts ruines abattues
Mais me laisse debout n'ayant raison ni tort
Qu'espérez-vous de moi seul droit dans la tourmente
Terriblement absent roide et froid sans sommeil
Pour parler aux vieux morts il faut trouver la fente
Par où filtre un rayon noir de l'autre soleil
Et si je tombe avant le soir sur la grand'route
La face contre terre et les deux bras en croix
Du fond de tout l'influx de force sourd en moi
Je me redresserai pour la nuit des déroutes
Et je remonterai vers vous comme la voix
Des grandes eaux hurlant sous les nocturnes voûtes
Avant l'heure et le signe advenus laissez-moi
Laissez-moi seul vous tous qui niez le prophète
Transmuant toute vie en un retournement

Du sens illuminé par d'immortels tourments
Laissez-moi dans le vide atroce de ma tête
Confondant confondu confondu confondant

TESTAMENT

Je viens de loin de beaucoup plus loin
    Qu'on ne pourrait croire
Et les confins de nuit des déserts de la faim
    Savent seuls mon histoire
Avec ses ongles avec ses dents celle qui est partout
    M'a fait mal
Et surtout surtout son affreux regard de boue
    M'a fait mal
Si maintenant je dors ancré
    Au port de la misère
C'est que je n'ai jamais su dire assez
    À la misère
Je suis tombé en bas du monde
    Et sans flambeau
Sombré à fond d'oubli plein de pitiés immondes
    Pour moi seul beau

La tête couronnée
et autres poèmes

HAÏKAÏS I

L'aube — Chante l'alouette. —
Le ciel est un miroir d'argent
   Qui reflète des violettes

Le soleil en feu tombe dans la mer ;
       des étincelles :
      Les étoiles !!

Oh ! la pleine lune sur le cimetière. —
   Noirs les ifs — Blanches les tombes —
     Mais en dessous ?…

   Les yeux du Chat :
   Deux lunes jumelles
     Dans la nuit.

   La nuit. — L'ombre du grand noyer
   est une tache d'encre aplatie
     au velours bleu du ciel.

   Vie d'un instant…
   J'ai vu s'éteindre dans la nuit
   L'éternité d'une étoile.

La cathédrale dans les brumes :
Un sphinx à deux têtes, accroupi
Dans une jungle de rêve.

J'ai vu en songe
Des splendeurs exotiques de soleil
Matin gris. — Le ciel est une chape de plomb

Morte la Déesse,
dansons en rond !!
Mais, mes Rêves aussi sont morts...

HAÏKAÏS II

Tous ces verts marronniers pansus
Se moquent entre eux du noyer
Qui n'a pas encore de feuilles

Sur l'Avril de vert feuillu
Bruine et ciel sale.
         — Triste...

Dans le ciel de cendre
Comme un dernier tison
La petite étoile

Le gros nuage s'enfuit
Devant le soleil qui rit
L'ondée a repeint les feuilles

Ce soir le soleil
Se couche vermeil
Devant l'arc-en-ciel.

Minuit — Bleu silence,
— Dorment les lilas —
Je sens le parfum de leurs rêves

Les petits nuages roses…
Hélas ! Ils vont se salir
Dans la fumée des usines.

L'étoile
Pique de petits coups d'argent
Dans le crépuscule mauve.

La branche de marronniers
Avec ses grappes de mains
Plates, molles, noires.

Partout le ciel
Aux tons nacrés, clairs et changeants
Je suis dans une opale

Feuilles retroussées
Par le vent
En rut.

Un trou qui traverse la terre, —
le ciel aux deux bouts :
L'étang limpide.

Dans la nuit de printemps
    La lune
    En fleurs.

    Il bruine, —
Lente la pluie fine
Tombe infiniment.

La lune s'endort :
Entends dans la nuit
Le mourir des roses

Dans le vide du ciel
Le sanglot lumineux
    Des étoiles.

    L'Océan, ce matin,
Chante un épithalame
Dans ses conques de nacre

Mes rêves : Chauve-souris
    Paissant des étoiles
Dans les plaines célestes.

    Un enfant pleure
    Derrière le mur…
Non !.. C'est un chat qui miaule.

Un escadron d'araignées d'eau
    Patine sur la rivière :
        Légèreté !

Le vent d'Automne
S'écorche aux branches mortes.
Oh ses sanglots !

Brouillard sur la mer : Ouate
Dont l'aube entoure le navire
Pour qu'il ne se fasse pas mal.

Soir mou, caniculaire.
Déjà dans le jardin
Le crissement des feuilles mortes.

Tu crains le Silence ?
— Entends dans la nuit
Le chœur des étoiles

Loin de la Mer
Tout est fade
Comme un potage sans sel

Troué le dais du ciel
Laisse voir un peu de l'infini :
Une étoile !

IMMOBILITÉ

Souffle de l'Infini, quand je te sens qui passes,
Tournoyant au-dessus de mon crâne hanté
Du vol des astres morts, je reste, épouvanté,
Visionnaire en proie à l'horreur des Espaces...

L'Éternité soudain me voile le Fini.
Voici venir le vent de la plus haute cime ;
Le vertige m'étreint sur le bord de l'abîme
D'où le spectre Matière, sort, à jamais banni.

Le silence n'est plus pour moi. Toujours j'entends,
Dans les lointains, l'écho sans fin de la musique
Des sphères dans le ciel ; toujours leur chœur mystique
Me conjure de fuir l'Étendue et le Temps.

Cependant je demeure en cette terre étrange.
Et damné, je me plie à cet affreux tourment :
Quand mon âme me tend les bras au firmament,
D'être cloué dans les ténèbres, dans la fange...

VERTIGE

*(Nier la réalité du monde extérieur,
par amour de la solitude)...*

Je veux l'esseulement total. La solitude
Qui vit impunément parmi la multitude,
Celle dont un mortel n'eut jamais vision :

Être seul dans le sein froid de l'Illusion, —

Seul comme un dieu vers qui jamais une prière
N'a monté, — comme Dieu, l'unique et solitaire,
(Solitaire absolu puisque lui-même est tout).

Or je ferai le vide, autour de moi, partout,
N'écoutant plus mes sens trompeurs et qu'hallucine
L'impuissante Action, moi, parcelle divine,

Je serai le point nul parmi l'Illimité !

Je ne comprendrai plus ce mot : réalité.
Être n'existe pas. Voici mon rêve ultime :

Nier tout et ne plus concevoir que l'abîme !

LE SOUFFLE UNIVERSEL

De l'acte pur de l'Être émana l'univers :
Ô lumière trouant le voile qui se creuse
Au spasme frissonnant de la nuit fabuleuse,
Et les astres lancés aux espaces déserts !

Le souffle d'un sommeil où passe un rêve d'âme,
— Comme le flux et le reflux de l'océan, —
Fait jaillir en la vie ou rentrer au néant
Ce monde où l'éternel est l'éclair d'une flamme !

Selon le rythme inconscient de cruauté,
Voici s'épanouir au loin les gerbes d'astres,
Ou bien s'entrechoquer au chaos des désastres,
Et s'abîmer dans l'inconnaissable unité.

L'enchantement qui fait mouvoir l'étoile d'or,
Éclaboussant le ciel nocturne, sa lumière,

La matière et l'esprit ont pour force première
La respiration énorme d'Un qui dort !

TABLETTES D'UN VISIONNÉ

Je suis mort. De plus en plus.
« Petit mort pour rire ! » — Oui, suis
devenu si petit que tiendrais tout entier
dans le fourneau de ma ridiculement
minuscule petite pipe en bois.
    Ils m'appellent Ismaël, père
Ismaël, mais suis si petit que ce
doit être pour se moquer.
    Étant mort,
                je vis très légèrement.
    Il fait noir,
             et froid.
    Froid : L'aube d'une nouvelle
période glaciaire. Un mystique
transi sous des palmes gelées. Blancheur
de faiblesses.
    Noir : Un rat roide, — vertical, —
en équilibre sur l'extrême bout de
sa queue chauve. Qui hurle à la
mort sans faire bouger son museau.
    Froid : Dans une plaine (vert-amande)
une longue file d'éléphants d'un
bleu pâle marche à reculons.
    Noir : un long petit rat voltige
avec des ailes de libellule.
    Froid : une petite tête violette

grimace, dans la transparence du
ventre bombé d'une amphore.

Noir : Deux formes humaines —
absolument identiques, — se tuent en
se baisant sur la bouche.

Froid : Un buste d'homme tronqué
se fait comprendre en clignant ses
paupières.

Noir : Au-dessus de nuages ou de
sombres sables. S'érigent les symboles
divins des vieilles religions. En face,
horreur macadamisée : les rictus de
certains trépassés.

Froid : — Polaire… — Suis enseveli
sous les neiges. Toutes les étoiles, —
cruelles ! — d'une voix lointaine et
féminine chantent le cantique :

> « Au ciel, au ciel, au ciel
> J'irai La voir un jour… »

Noir : Une monstrueuse petite bedaine
contemplant le monde extérieur avec
le regard de son nombril ahuri.

Froid : Gérard de Nerval.
Nu. Dans la nuit pure.
Attend que son âme
Monte vers l'étoile.

Noir : Trois poissons phosphorescents
remontent, par saccades, le cours
lourd d'un fleuve noir.

Cela passe.

Mais suis si petit, —
je crois que je diminue encore, —
si petit que vraiment…

MOI ET MOI

Incident de frontière entre rêve et veille : un épuisement soudain m'ensevelit, je sommeille sur un divan.
Quelqu'un entre : j'entends, je n'entends pas, je dors,
je m'éveille, je continue à dormir.

En un instant naît la scission mémorable. Moi-
qui-veille se lève et montrant au nouveau venu
Moi-qui-dors toujours étendu sur le divan dit en se
penchant :

— « Il dort. »

Sans la moindre angoisse.

La crainte commence à saisir Moi-qui-veille quand
Moi-qui-dors s'agite et crie en proie aux lémures du
profond sommeil. Moi-qui-veille se tournant vers son
hôte dit finement :

— « Il rêve. »

Moi-qui-dors se dresse brusquement sur son séant.
Moi-qui-veille poussé par un souvenir de solidarité
l'aide à se dresser complètement.

Spectacle unique : Moi-qui-veille prend le bras de
Moi-qui-dors, comme on fait un convalescent et tous
deux (ou tout un en deux) font au pas le tour de la
chambre.

Au secours ! Moi-qui-dors chancelle, Moi-qui-dors

s'affaisse. Il échappe à Moi-qui veille et tombe très lourdement sur le sol. Son crâne rebondit.

Moi-qui-veille, toujours debout, le contemple, puis inquiet, se tourne vers son hôte et dit :

— « Très ennuyeux, quand il faudra que je rentre là-dedans (et il indique du pied Moi-qui-dors étendu, inerte) je me trouverai courbaturé et j'aurai mal à la tête pour le reste de la journée. »

DANCING

Sombre salle. Le champ de vision du rêve n'en embrasse pas le périmètre. Inconnu.

Donc salle illimitée et sombre.

Encombrée de stalles ou boxes dessinant des courbes compliquées tendues de cramoisi.

Des couloirs en pente glissent entre les boxes. C'est dans ces couloirs qu'on danse vaguement. Dans les stalles des groupes d'hommes et de femmes pâles vêtus de sombre. Peut-être connus ; peut-être espagnols.

Tout est sombre, de velours et cramoisi

Ainsi le Jazz.

RENAÎTRE PRÉNATAL

> *Seule importe la recherche de notre Moi*
> *transcendantal.*
>
> NOVALIS

> *… Au lieu de cultiver leur âme immortelle*
> *et de songer à la mort, ce qui avec la maladie*
> *doit être l'état naturel au chrétien…*
>
> JULES LAFORGUE

PREMIÈRE PHASE

Yeux clos et tempes creuses je sombre sous l'horizon
Je deviens un être immémorial
Mes cils blanchissent se démesurent et vivent
Et vibrent, antennes, aux effluves inconnus

Entre mes tempes tendues s'étendent des steppes illunées
Barrées par le silence des banquises de mes vieux sens
  blanchis
Steppes d'immobilité entrevues par éclairs
Sous la nacelle giratoire où se cloître ma vie. (entre
  les fentes)

DEUXIÈME PHASE

À la gorge — col d'angoisse enserré
Par le carcan cataractant de l'ananké. —
(Le malheur m'a fixé de ses grands yeux déteints)
              axe !

Vers l'équilibre autour du point fixe en ma gorge
Mon corps s'étiole et se dessèche
Ma tête grossit et s'illimite cervicale
                    Oscillations   (fil de platine)
        L'encéphale doit égaler le corps

TROISIÈME PHASE

L'équilibre c'est la coïncidence avec le Point Mort
                    L'absolu.
                (transcendantalis)
    In metaphysica dicitur punctum stans

HOMMAGE FRATERNEL

OU

LA BÊTE IMMONDE

I

Vous êtes des trous d'ombre
Creusés en formes d'hommes
Grossièrement sculptés à l'effigie de la figure humaine
Taillés dans le blanc peint de l'espace sans bornes
Et vous me regardez avec de grands yeux vides

Ce regard où je cherche en vain
Quelque chose d'humain
Ce regard est horrible

Alors que j'y cherchais l'antique conscience
Alors que j'y guettais la naissance d'un être
Que je me penchais plein d'amour
Vers mon semblable aussi malheureux que moi-même
Prisonnier de l'aveugle cachot du désespoir

À la lueur mourante de la flamme adorable
Je n'ai vu désormais qu'un voile sombre opaque
Que rien même le vent ne pourra soulever.

II

Nuit maudite à jamais interdite entre toutes
Nuit où le feu sanglant de mon regard troua
Ce lac de boue obscure absurde et verticale

Et tout voyant vacillera sur ce spectacle
Au fond des yeux que je croyais d'un frère pas trace
   d'âme
Ni le stigmate saint ni le sacre infamant
Qui marquèrent jadis l'homme des origines

En place un trou vorace
Un abîme aux gueules béantes
Une absence ventouse aveugle soif de proie
La rapacité nue
La folie et l'horreur du chaos qui foisonne et ravage
   alentour
La contagion bestiale de l'informe
L'avidité de qui n'est pas
La succion du vide bouche d'ombre des morts

La pourriture noire aux éclairs de phosphore
Le vertige sans fond du néant qui dévore

Qui jamais comblera la soif du trou béant
Un regard de plein ciel brûlant de désespoir
Le feu d'un œil où tout le ciel se désespère
Mystère de l'amour trop semblable à la mort

LES QUATRE ÉLÉMENTS

À Rolland de Renéville

Si je dis Feu mon corps est entouré de flammes
Je dis Eau l'Océan vient mourir à mes pieds

Vaisseau vide immergé dans un cristal solide
Creuse momie aux glaces prises et je dis Air

Terre et le naufragé prend racine et s'endort
Sous les feuilles au vent de l'arbre de son corps

De sa bouche le songe engendre un rameau d'or
De sa bouche terreuse expirant ses poumons
Retournés vers le ciel tonnante frondaison

Moisson rouge au soleil de minuit et de mort

AU VENT DU NORD

Tu vis, tu ne vis pas tu rampes dans la pierre
Prisonnier d'un songe
Amant dans un rêve
Écrasé d'avance
Par le trop lourd corps-mort
De marbre de ta mort
Que tu cherches hurlant depuis des millénaires
Dans les ravages et les cadavres de ton corps
Alerte épouvantail claire-voie au vent du nord
Dansant et suant de vertige
Sur un sol d'air fuyard où ton poids c'est la peur

Cœur éclaté vidé de sang et de sanglots
Pris au gel de l'air
Sous le ciel de pierre
À jamais emmuré dans un cristal de froid

L'ÉTERNITÉ EN UN CLIN D'ŒIL

À Arthur Adamov

Quiconque voit son double en face doit mourir

Échéance du drame au voyant solitaire
Miroir un œil regarde un œil qui le regarde

Offert et renoncé pur don et dur refus
D'étrangère qui n'en peut plus qui n'en peut plus
Donatrice abreuvée aux sources des insultes

Hantise du reflet glacial ombre vaine
De ce double avéré plus soi-même que soi
Simulacre nié de menteuse lumière
Perdue aux ondes d'ombre aux sombres eaux de mort

Miracle du regard regardant l'œil qui darde
Un inverse regard vigilant assassin
Provocateur
Assassinat se dit suicide au jeu mortel

Immortelle qui passe à travers le miroir
Pupille que contracte un acte pur détruire
C'est l'étoile-fantôme à l'âme de feu noir
Le point nul en son propre intérieur vibrant

L'œil dévorera l'œil au point nul éternel

LA TÊTE COURONNÉE

Délire don tonnant du songe et des écumes
Anneau d'onde vibrante au creux futur virginité
Entre moi-même et le néant qui m'a hanté
Ma tête ballottante au vent en vol de plumes
Étincelante au choc des marteaux sur l'enclume
S'éblouit de son sort d'or pur immérité
L'assaut des marteaux l'environne

Sur son front forge sa couronne
Cercle ardent sacerdoce infamant du malheur
À grands coups de douleur ruisselante écarlate
J'ai peur qu'à force de splendeur
La tête éclate

Proses du *Grand Jeu*

AVANT-PROPOS
AU PREMIER NUMÉRO
DU *GRAND JEU*

Le *Grand Jeu* est irrémédiable ; il ne se joue qu'une fois. Nous voulons le jouer à tous les instants de notre vie. C'est encore à « qui perd gagne ». Car il s'agit de se perdre. Nous voulons gagner. Or, le Grand Jeu est un jeu de hasard, c'est-à-dire d'adresse, ou mieux de « grâce » : la grâce de Dieu, et la grâce des gestes.

Avoir la grâce est une question d'attitude et de talisman. Rechercher l'attitude favorable et le signe qui force les mondes est notre but. Car nous croyons à tous les miracles. Attitude : il faut se mettre dans un état de réceptivité entière, pour cela être pur, avoir fait le vide en soi. *De là notre tendance idéale à remettre tout en question dans tous les instants*. Une certaine habitude de ce vide façonne nos esprits de jour en jour. Une immense poussée d'innocence a fait craquer pour nous tous les cadres des contraintes qu'un être social a coutume d'accepter. Nous n'acceptons pas parce que nous ne comprenons plus. Pas plus les droits que les devoirs et leurs prétendues nécessités vitales. Face à ces cadavres, nous augurons peu à peu une éthique nouvelle qui se construira dans ces pages. Sur le plan de la morale des hommes les changements perpétuels de notre devenir ne réclament que *le droit à ce qu'ils nomment lâcheté.* Et ce n'est pas seulement pour nous en servir. Cette lâcheté n'est faite que de notre bonne foi ; nous sommes des comédiens sincères. Quand nous marchons, il y a en nous des hommes qui se regardent, qui s'emboîtent le pas, qui rampent au-dessous, volent au-dessus, se devancent, se fuient, s'acclament, se huent et se regardent impassibles. Mais nous ne voulons être alors que l'action de marcher. C'est en cela que nous sommes comédiens sincères. Mauvais sont ceux qui ne se donnent pas entièrement à leur choix. Nous avons simplement le sens de l'action.

Pourquoi écrivons-nous ? *Nous ne voulons pas écrire, nous nous laissons écrire.* C'est aussi pour nous reconnaître nous-mêmes et les uns les autres : je me regarde chaque matin dans un miroir pour me composer une figure humaine douée d'une identité dans la durée. Faute de miroirs j'aurais les faces des bêtes changeantes de mes désirs et, certains jours où le miracle me touche, je n'aurais plus de face. Car, délivrés, nous sommes à la fois des brutes brandissant les amulettes de leurs instincts de sexes et de sang, et aussi des dieux qui cherchent par leur confusion à former un total infini. Le compromis *homo sapiens* s'efface entre les deux. La connaissance discursive, les sciences humaines ne nous intéressent qu'autant qu'elles servent nos besoins immédiats. *Tous les grands mystiques de toutes les religions seraient nôtres s'ils avaient brisé les carcans de leurs religions que nous ne pouvons subir.*

Nous nous donnerons toujours de toutes nos forces à toutes les révolutions nouvelles. Les changements de ministère ou de régime nous importent peu. Nous, nous attachons à l'acte même de révolte une puissance capable de bien des miracles.

Aussi bien *nous ne sommes pas individualistes* : au lieu de nous enfermer dans notre passé, nous marchons unis tous ensemble, chacun emportant son propre cadavre sur son dos.

Car nous, nous nc formons pas un groupe littéraire, mais une union d'hommes liés à la même recherche.

Ceci est notre dernier acte en commun ; art, littérature ne sont pour nous que des moyens.

La grâce liée à l'attitude a besoin, avons-nous dit, de talismans qui lui communiquent leurs puissances, d'aliments qui nourrissent sa vie. L'un d'entre nous disait récemment que son esprit cherchait avant tout à manger. Parmi ses sensations il cherche ce qui peut le nourrir. En vain sa faim se traîne de musées en bibliothèques. Mais un spectacle, insignifiant en apparence, soudain lui donne sa pâture (une palissade, une huître vivante). La sensation bouleversante d'un instant a rendu d'un seul coup des forces incalculables à sa vie inquiète.

Ce sont ces instants éternels que nous cherchons partout, que nos textes, nos dessins feront naître peut-être chez quelques-uns, qu'ils ont donnés souvent à leurs créateurs dans le choc de leurs découvertes et dont nos essais cherchent les recettes.

C'est en de tels instants que nous absorberons tout, que nous avalerons Dieu pour en devenir transparents jusqu'à disparaître.

En complet accord : Hendrik Cramer, René Daumal, Artür Harfaux, Maurice Henry, Pierre Minet, A. Rolland de Renéville, Josef Sima, Roger Vailland.

LA FORCE DES RENONCEMENTS

C'est entendu. Table rase : tout est vrai, — il n'y a plus rien. Le grand vertige de la Révolte a fait chanceler, tomber la fantasmagorie des apparences. Illusion déchiquetée, le monde sensible se déforme, se reforme, paraît et disparaît au gré du révolté. À la place de ce qui fut lui-même, sa conscience, l'autonomie de sa personne humaine un gouffre noir tournoie. Ses yeux révulsés voient entre ses tempes tendues s'étendre une immense steppe vide barrée, à l'horizon, par la banquise de ses vieux sens blanchis.

Celui qui a renoncé à tout ce qui est hors de lui comme à tout ce qui est en lui, — qui, partant, ne sait plus distinguer le monde-hors-de-nous du monde intérieur, n'en restera pas là. Il y a dans la Révolte, telle que nous la concevons, un besoin de tout l'être, profond, tout-puissant, pour ainsi dire organique (nous la verrons devenir une force de la nature) une puissance de succion qui cherchera toujours, poulpe de famine, quelque chose à avaler.

Quelles sont la nature et la forme de cette marche de l'esprit vers sa libération ? La révolte de l'individu contre lui-même, par le moyen de toute une hygiène d'extase particulière (habitude des poisons, autohypnotisme, paralysie des centres nerveux, troubles vasculaires, syphilis, dédifférenciation des sens et toutes les manœuvres qu'un esprit superficiel mettrait sur le compte d'un simple goût de destruction) lui a donné la première leçon. Il s'est aperçu que l'apparente cohérence du monde extérieur, — celle-là même qui devrait, paraît-il, le différencier du monde des rêves, — s'effondre au moindre choc. Cette cohérence n'est vérifiable que par les sens ; or elle varie avec l'état de ces sens, elle est uniquement fonction de lui-même et tout se passe comme s'il la projetait du fond de sa conscience au dehors. À peine masque-t-elle habituellement l'effroyable chaos dont les ténèbres ne s'illuminent que de miracles. Par « miracles » nous entendons ces instants où notre âme pressent la réalité dernière et sa communion finale en elle. Plus de séparations entre l'intérieur et l'extérieur : rien qu'illusions, apparences, jeux de glace, reflets réciproques. Premier pas vers l'unité, mais pour retrouver en lui le même chaos qui nous entoure.

Que peut être une progression spirituelle dans ce magma sans espace et sans durée ? Comment imaginer différent de l'immobilité l'élan de l'âme révoltée, ce mouvement dépourvu de sens, de vitesse et de direction que l'on voudrait figurer là-dedans ? Tout ce qu'on peut en comprendre c'est qu'il revient constamment sur ses pas. Autrement dit, tout est toujours à recommencer. L'image même de mouvement est fausse. Désespérément vers le point mort, le point immobile en son propre intérieur vibrant, le *punctum stans* des vieilles métaphysiques, l'astre absolu, il n'y a qu'une tendance forcenée de tout un être qui a perdu son moi. Ce concept de tendance résiste à toute analyse rationnelle. L'esprit occidental ignore cette forme d'activité. Seule l'analogie, ou mieux les correspondances swedenborgiennes peuvent en rendre compte d'une façon tout intuitive. Des symboles :

William Blake a vu dans la nuit primordiale les derniers des dieux, les Éons créateurs, qui expiraient les mondes. L'éternité immobile les avait vomis. La durée ne coulait pas encore. Sans fin, sans espoir, suant du sang, hurlant d'angoisse, ils martelaient le vide.

J'ai connu — au fond d'un cabanon — le pétrisseur d'étoiles. D'ordinaire, coquille vide, regard mort. Soudain une nuit, mangeant ses poings, il tournoyait sur lui-même, hyène en cage. À l'aube, il tombait. La crise, corde tendue de la nuque aux talons, creusait ses reins, arquait son corps. Pendant deux jours et deux nuits, sans trêve, il vibrait, comme une chanterelle sous l'archet, en tremblements au rythme fou. Après la troisième crise on l'a roulé dans un grand drap blanc-sale. Une feuille de décès épinglée là-dessus.

Mais il savait que chacune des ondes émises par son corps vibrant à travers l'éther infini allait cogner, pétrir l'immensité lactée d'une nébuleuse. Contractée sous le choc, la nébuleuse devenait lumière, une étoile. Il est mort dans un éclaboussement d'astres.

C'est encore le travail de cet autre solitaire qui, sachant que le bonheur éternel ne se conquiert pas au mérite mais à la couleur des yeux, peine depuis des années pour modifier par la seule force de sa volonté la teinte brune de ses prunelles en bleu-céleste.

Peut-être de tels symboles font-ils naître le sentiment de ce labeur effroyable qui déroute l'esprit humain. Toujours est-il que dans cette marche de l'esprit en révolte vers sa résorption en l'unité, rien ne peut jamais être considéré comme acquis. Celui qui, ayant souffert mille morts successives, se croit tout près du but, au bout de sa voie, se retrouvera soudain, en face d'une action donnée, au stade végétal du malheureux qui n'a pas encore senti sourdre en lui le jet furieux de la révolte. Il croit, par exemple, avoir depuis longtemps dominé la tentation du suicide qui a hanté son adolescence et tout à coup une souffrance nouvelle lui fait désirer à nouveau pour son front desséché le baiser froid et visqueux de la petite bouche ronde du browning. Si bien que l'évolution dont nous voulons définir les stades successifs nous n'en donnons qu'une figuration schématique et théorique, nous la figeons arbitrairement alors qu'en fait tout se trouvera toujours lié à tout.

À l'état de révolte doit succéder l'état de résignation ; et *cette résignation postérieure sera, au contraire de l'abjection, la puissance même.* (Cf. René Daumal : *Liberté sans Espoir.*)

La lutte contre tout comporte nécessairement, reflet de son côté positif d'élan, de jaillissement formidable et spontané, un côté négatif de renoncements continuels. Quiconque a le désir profond de se libérer doit volontairement nier tout pour se vider l'esprit, et renoncer toujours à tout pour se vider le cœur. Il faut qu'il arrive à faire naître peu à peu en lui un état d'innocence qui soit la pureté du vide. Sans jamais s'arrêter. Pas même au sein de la révolte. Le grand danger c'est de s'inventer des idoles pour se prosterner ensuite devant elles. Le révolté ne doit jamais considérer son état présent comme une fin en soi.

Sous le knout de l'angoisse il doit le fuir, comme il a fui, déjà, l'abrutissement qui pesait autrefois sur sa vie. Car une révolte qui se prolonge risque de devenir un appui pour elle-même. Il faut savoir renoncer à cet appui comme à tous les autres.

Après l'action directe et violente voilà l'homme dans la position du monsieur qui a installé son fauteuil (en velours d'Utrecht cramoisi) sur les pavés de la place publique hérissée de barricades et qui, solidement vautré sur ce piédestal, ricane au milieu des incendies, des clameurs, des claquements d'étendards, des canonnades, en regardant les furieux héros de guerre civile : ils luttent pour de fausses libertés, ils remplaceront les institutions qu'ils détruisent par d'autres analogues, ils font de pauvres petites crises ministérielles. Et tout ce vain mouvement parce qu'ils n'ont pas encore atteint à sa belle conception du vide. Ne regardez jamais derrière vous, en vivant, nom de Dieu[*] !

Imbécillité de l'individualisme.

La puissance de colère, le dynamisme de la révolte, son énergie potentielle, ne s'appliquent plus aux actions mêmes du résigné, puisque ne fixant plus ces actions, il ne peut plus rien fixer de son moi essentiel sur elles.

---

[*] Le seul siège possible pour un homme en marche, c'est la tête d'épingle. Au cirque, le grand étonnement de mon enfance est de n'avoir jamais vu les écuyers se dresser debout, les pieds sur le front de leurs chevaux : ce serait une position possible. Si vous voulez voyager à califourchon sur une autruche, prenez la précaution préalable de lui sectionner le cou à la base avec un sabre courbe, cela supprime un obstacle gênant dans la partie antérieure de votre champ visuel et n'empêchera nullement l'autruche de marcher, au contraire. Le choix du véhicule a son importance.

Il entretient simplement cette force en dehors de lui (puisqu'il ne la refoule pas en sa conscience, et ne l'applique pas aux actions de son corps). Cette force qui est, ne peut rester inemployée dans un cosmos plein comme un œuf et au sein duquel tout agit et réagit sur tout. Seulement alors un déclic, une manette inconnue doit faire dévier soudain ce courant de violence dans un autre sens. Ou plutôt dans un sens parallèle, mais grâce à un décalage subit, sur un autre plan. Sa révolte doit devenir la Révolte invisible. Il doit se produire quelque chose d'analogue à ce qu'on appelle en biologie un phénomène de variation brusque. Celui qui aura trouvé l'attitude favorable passera brusquement au-dessus de l'activité humaine. Comme un reptile qui devient oiseau, il passera de la connaissance discursive à la tendance-limite vers l'omniscience immédiate. Et son action de révolte deviendra une puissance naturelle, puisqu'il a saisi en lui le sens de la nature. Là seulement est la véritable puissance, celle qui soumet les êtres à sa loi et fait de son détenteur, aux yeux des hommes, un *Cataclysme Vivant**.

Mais est-ce là l'unique solution qui délivre de la vieille angoisse humaine ? À quoi faire foi dans cette marche à l'absurde hérissée de difficultés sans nombre que l'on évite seulement au prix de ce qui semble à un cerveau occidental des subtilités byzantines ? La réponse est simple. Des millénaires d'expérience ont

* Même en postulant (nous dirions pressentant) l'absolu déterminisme d'un avenir qui est contenu dans le présent (cette division du temps n'étant qu'un aspect humain d'une simultanéité infinie) on peut admettre la puissance occultée réelle et LIBRE d'un être assez évolué pour faire de ce déterminisme universel toute sa volonté, toute sa conscience, lui-même, tout.

appris à l'homme qu'il n'y a pas de solution rationnelle au problème de la vie. On n'échappe à l'horreur de vivre que par une foi, une intuition, un instinct antique qu'il faut savoir retrouver au fond de soi-même. Sondez l'abîme qui est en vous. Si vous ne sentez rien tant pis. La voie que nous tentons d'indiquer en ces pages nous en avons retrouvé le sens en nous. Appel aux hommes de bonne volonté ! Le reptile inlassablement a dévoré ses membres antérieurs qui repoussaient toujours dans le grand élan de vie des ères primitives, mais son instinct ne l'a pas trompé. Car soudain au fond des plaies béantes de ses moignons rongés les cellules qui naissent ont changé le sens de leur effort. À la place de ses torses pattes courtes antérieures poussent bientôt deux ailes immenses, conquérantes de l'air. Mais quel désir profond et obscur de voler, quel courage de mutilation, quelle absurdité (car où est le rapport, dirait l'intelligent, entre le désir de voler et le fait de se bouffer les pattes) ont permis ce magnifique envol au Père-des-oiseaux.

L'homme, dans son état actuel, est inévitablement condamné à l'abjection d'une misère sans bornes. Nous en sommes à un stade humain, que nous devons dépasser, puisque nous l'avons jugé. On ne le dépassera pas en exagérant ses caractères spécifiques. La vie, dans son évolution, procède par variations brusques. Il faut changer le sens de toute notre activité, prendre une attitude tellement nouvelle qu'elle bouleverse notre nature de fond en comble.

Les signes ne manquent pas qui proclament cette nécessité. Il n'est pas nouveau de dire que toutes les institutions sociales de l'Occident, entièrement pourries, sont dignes de toutes les révolutions. Mais dans un autre ordre d'idées, quel sort est réservé à la science discursive ? Si ses applications donnent encore des résultats curieux, par contre où va la science théorique : devant l'accumulation des découvertes nouvelles, les savants se trouvent à court d'hypothèses ; celles qu'on place en vedettes changent au jour le jour (un professeur du Collège de France ne disait-il pas récemment, au début de son cours, qu'il ne savait pas si ce qu'il professait serait encore tenu pour vrai à la fin de ce même cours), on est réduit à faire appel à des hypothèses contradictoires[*] pour expliquer des phénomènes différents.

Rotation sans fin d'une science sans base ni but dans la vanité abstraite ! Depuis Rimbaud, tous les écrivains, les artistes, qui ont pour nous quelque valeur — ils se reconnaîtront ici — ont-ils eu un autre but que la destruction de la « Littérature » et de l'« Art » ?

En général le travail de tous les esprits dignes de ce nom ne se réduit-il pas à la destruction des idoles Vrai-Bien-Beau et de tout ce qui fait la pseudo-réalité sur laquelle s'appuient encore les cerveaux hydrocéphales de quelques retardataires ?

Partout un besoin imminent de changer de plan. Quant à savoir ce que sera le plan nouveau où se magnifiera notre vie, il est bien évident qu'un état auquel nous n'avons pas encore accédé, nous ne pouvons pas le comprendre ni même le concevoir puisque nous ne l'avons pas encore expérimenté. Du seul fait qu'il demeure le but vers lequel nous tendons, il se présente actuellement à nous comme étant l'absolu.

---

[*] Selon les cas, par exemple, l'espace est supposé tantôt continu tantôt discontinu.

MISE AU POINT ou CASSE-DOGME
En collaboration avec René Daumal

Si le Grand Jeu a voulu qu'en le regardant les hommes se trouvassent enfin en face d'eux-mêmes

CE FUT POUR FAIRE LEUR DÉSESPOIR.

Et aussitôt ceux qu'on retrouve toujours en pareille circonstance de fonder des espoirs (d'ordre « littéraire », n'est-ce pas ?) sur le Grand Jeu. Cela s'appelle peut-être rendre le bien pour le mal. Ce serait du vaudeville, si ce n'était dégoûtant.

Au moins la majorité est-elle d'accord, avec la plus entière mauvaise foi, pour faire semblant de croire qu'il s'agit en somme de distractions intellectuelles.

Mais oui, faces de coton, nous inventerons pour vous distraire des sophismes qui rendent boiteux, des cercles vicieux d'où l'on sort sans tête, des petites constructions de l'esprit — si ahurissantes ! — monstres de feutre branlant sur leurs pieds de cervelle, et même des oiseaux dont la queue en forme de lyre… (voir plus loin ce que nous pensons de l'Art). Rira jaune qui rira le dernier.

Pour nous ôter le souci d'avoir encore, à l'avenir, à

rectifier par des paroles de tels malentendus, une fois pour toutes nous précisons :

Que nous n'espérons rien ;

Que nous n'avons aucune « aspiration » mais plutôt des expirations ;

Que, techniciens du désespoir, nous pratiquons la déception systématique, dont les procédés connus de nous sont assez nombreux pour être souvent inattendus ;

Que notre but ne s'appelle pas l'Idéal, mais qu'il ne s'appelle pas ;

Qu'il ne faut pas faire passer notre frénésie pour de l'enthousiasme. (Non, Madame, ce n'est pas beau, la jeunesse.)

Que si, comme on l'a finement remarqué, nous sommes dogmatiques, notre seul dogme est

LE CASSE-DOGME.

Notez donc : Définition : « ... Le Grand Jeu est entièrement et systématiquement destructeur... »

Maintenant nous faisons rapidement remarquer que le sens commun se fait du verbe détruire un obscur concept dont la seule exposition démontre le caractère absurde (fabriquer du néant en pilonnant quelque chose). Destruction, bien sûr, ne peut être qu'un aspect de transformation, dont un autre aspect est création. (Parallèlement, il faut enlever au mot créer son absurde schéma : fabriquer quelque chose avec du néant.) Bon. Il fallait bien en finir avec ces enfantillages.

Nous sommes résolus à tout, prêts à tout engager de nous-mêmes pour, selon les occasions, saccager, détériorer, déprécier ou faire sauter tout édifice social, fracasser toute cangue morale, pour ruiner toute confiance en soi, et pour abattre ce colosse à tête de crétin qui représente la science occidentale accumulée par trente siècles d'expériences dans le vide : sans doute parce que cette pensée discursive et antimythique voue ses fruits à la pourriture en persistant à vouloir vivre pour elle-même et par elle-même alors qu'elle tire la langue entre quelques dogmes étrangleurs.

Ce qui jaillira de ce beau massacre pourrait bien être plus réel et tangible qu'on ne croit, une statue du vide qui se met en marche, bloc de lumière pleine. Une lumière inconnue trouera les fronts, ouvrant un nouvel œil mortel, une lumière unique, celle qui signifie : « non ! » ; s'il est vrai que nier absolument le particulier, c'est affirmer l'universel, ces deux points de vue sur le même acte étant aussi vrais l'un que l'autre, puisqu'ils sont pris sur la même réalité[*].

Cette réalité, qui n'est rien de formel, est essence en acte : conscience qui affirme et nie. L'essence universelle de la pensée est donc la négation de toute forme de pensée. Sans attribut distinctif, cette négation ne peut qu'être une. Et par elle seule les formes apparaissent ; elles ne sont rejetées à l'existence distincte

---

[*] Comme il nous est arrivé de désigner par le mot Dieu la réalité absolue et que nous ne voulons pas nous priver d'un mot sous prétexte qu'on en a fait les plus tristes usages, que ceci soit bien entendu :

Dieu est cet état limite de toute conscience, qui est La Conscience se saisissant elle-même sans le secours d'une individualité, ou, si l'on veut, sans s'offrir aucun objet particulier.

que par cet acte unique de la conscience qui les nie être elle-même. (Voilà — changeons un peu — pour que l'on puisse fonder des espoirs sur notre philosophie.)

Si les dogmes sont des formes de la pensée, la pensée universelle, qui est la vérité de tous les dogmes, est une négation de tous les dogmes. Et nécessairement notre pensée, qui veut être la pensée, doit remplir une fonction de casse-dogmes.

Cette fonction présente deux aspects :

1. Elle est destructrice dans le domaine des formes : aucun dogme ne peut échapper à sa critique. Et cette menace n'est pas vaine, car nous sommes entourés d'hommes qui veulent saisir la vérité dans une forme en ne tenant que la forme. Un tel homme, en nous approchant, risque sa vie. Nous avons tout lieu en effet de supposer que le dogme qu'il affirme est lié aux formes des fonctions vitales. (Elles sont communes à tous les hommes ; par une erreur fréquente, on les croit universelles alors qu'elles sont seulement générales ; il y a donc beaucoup de chances pour que le dogme soit fondé sur des mouvements vitaux qui, plus que toute autre chose, peuvent être les fantômes de l'universel.) Notre fonction de casse-dogme s'attaquera par conséquent aux formes et à l'organisation de la vie humaine, lorsqu'il nous faudra faire apparaître le caractère relatif des formes de pensée qui sont leurs simples reflets.

2. Le second aspect du Casse-Dogme n'est plus Dogme mais Casse et ne regarde que

SOI-MÊME.

APRÈS RIMBAUD LA MORT
DES ARTS

Cette langue sera de l'âme pour l'âme.
RIMBAUD

Le propre d'un Rimbaud sera d'apparaître à jamais, avec l'ironie d'un retour éternel, dès sa plume posée pour ne plus la reprendre, comme le précurseur de tout ce qui veut naître et qu'à l'avance il déflora du caractère de nouveauté que l'on prête gratuitement aux naissances. Cette perpétuelle du millenium eut ainsi en lui son rare témoin : on peut le dire exactement prophète.

Trahi sans cesse par la plupart de ses admirateurs ou esprits bas, qui cherchent à lui faire servir leurs fins innommables et qui se jugent en le jugeant comme ils font, il demeure invariablement la pierre de touche. Il montre la limite de tout individu parce qu'il vécut lui-même à la limite de l'individu : je veux dire que plusieurs points de son œuvre marquent le souvenir d'un être qui, ayant tendu toutes les facultés de son esprit à l'extrême des possibilités humaines, a suivi l'asymptote des impossibilités humaines*. S'il a ou n'a pas vu

---

* L'efficacité d'une telle démarche n'apparaît d'ailleurs que dans

au-delà de ces limites (ce qu'on ne peut évidemment vérifier qu'à condition de revivre son expérience et à quel prix !), il a au moins vécu béant sur cet au-delà. D'où, dans son œuvre, ces trous noirs que ceux qui craignent le vertige cherchent à masquer grossière-ment au moyen de ce qu'ils ont de mieux à puiser au fond d'eux-mêmes de leur « idéal », par analogie. Dévoilant à tout coup leurs petits sommets (foi reli-gieuse ou concept tautologique, phraséologie creuse ou pire) ils permettent de mesurer leur bassesse.

Ainsi, dans mon programme ou casse-dogme, le prétexte-Rimbaud à tout remettre en question surgit magnifiquement à propos de ce qui fait la valeur de son œuvre.

Justifier une telle valeur est essentiel dans la mesure où cela permet d'abord de dénoncer en passant toutes les fausses recettes qu'emploient les « artistes » pour atteindre un beau dont la notion obscure à souhait ne suffit pas à cacher le caractère inadmissible, ensuite de voir ce qui reste réel dans l'idée de beauté et comment y atteignent certains créateurs, toutes considérations de métier mises à part.

Tout jugement esthétique d'une œuvre dite d'art cherchant à remonter d'effet à cause en tirant sur l'ignoble cordon ombilical que l'on nomme lien cau-sal parce qu'il relie l'occidental à sa mère la pourri-ture, exaspère, désespère tous ceux que j'estime et moi-même. Ma tête, ma tête sans yeux, à qui établi-rait le bien-fondé de sa manie d'induire comme de tout autre tic de la pensée logique, en face de ma

---

la mesure où l'on vit intérieurement l'idée hégélienne de perfecti-bilité de la raison concrète.

torpeur fixe, cette soudaine conscience du scandale d'être !

C'est avec le dédain le plus lointain pour les trop faciles réfutations des esprits fins que je tiens à noter ici ce qui fut toujours pour moi le plus élémentaire sentiment de propreté morale à savoir que, à de très rares mais immenses exceptions près[*], je répudie l'art dans ses manifestations les plus hautes comme les plus basses, qu'à peu près toutes les littératures, peintures, sculptures et musiques du monde m'ont toujours amené à me frapper violemment les cuisses en riant bêtement comme devant une grosse incongruité.

Les productions des réels talents et des génies dans leur genre, les perfections techniques acquises par l'exploitation systématique de modèles reconnus ou non, la pratique assidue des imitations « nature », la « longue patience » de l'académicien récompensé, toutes les activités de cet ordre m'ont toujours scandalisé par leur parfaite *inutilité*. Inutilité. C'est *l'art pour l'art*. Autrement dit l'art d'agrément. Hygiénique distraction pour oublier la réalité dure à étreindre.

Des artistes œuvrent avec goût.

Des esthètes jugent en connaisseurs.

Et des hommes crèvent en mordant leurs poings dans toutes les nuits du monde.

Ce n'est pas que je sois insensible aux beaux-arts : des allusions littéraires dans une peinture, la percussion indéfiniment prolongée du goudougoudou en musique, l'épithète sculpturale en particulier lorsqu'elle est appliquée à une mélodie, en littérature, peuvent

---

[*] Et il ne peut s'agir que d'établir le critérium de ces exceptions à définir une fois pour toutes.

m'émouvoir plus que tout au monde, seulement je défends d'appeler cela « émotion artistique » parce qu'alors aucun goût, même le pire, ne préside à mon jugement, parce qu'il n'y a pas jugement mais coup de casse-tête dans le ventre.

L'art pour l'art est un de ces refuges où se tapissent ceux qui trahissent l'esprit qui veut dire révolte. Sur le plan humain il ne peut exister de beau qui soit absolu, sans au-delà, qui soit une fin. Comme si un absolu, unique en soi, pouvait se présenter à l'individu reclus dans l'apparence de son moi sous une autre forme que *Non, Non et Non*.

Cela peut paraître une regrettable plaisanterie aussi vaine qu'un coup d'épée dans une matière liquide que d'attaquer maintenant l'art pour l'art que personne ne défend plus. Se méfier des religions dont le vocabulaire liturgique est officiellement abandonné. Sinon les membres du gouvernement brésilien personne n'édifie plus de chapelle positiviste à Clotilde de Vaux. Pourtant quiconque pense à la science emprunte la pensée de Comte*. De même pour le christianisme. Les stigmates inavoués en deviennent indélébiles. Les lâches qui craignent de se tailler la peau n'étreignent du monde que ces peaux mortes qui s'interposent toujours entre lui et eux.

Fausse évidence et tic mental encore. Qui ne considère l'art et la plus ou moins belle beauté de sa fabrication comme des fins en soi ? Ceux qui ont peur et cherchent des excuses ne font que reculer la question.

---

* Aussi bien les esprits religieux antiscientistes que les savants, à l'exception de Meyerson. (La fameuse question Meyerson que nous nous réservons de mettre prochainement au point ici-même !)

Nul esprit ne va plus du multiple à l'unique. L'œuvre apparemment signifie selon deux démarches :

— Ou bien l'homme figé par l'espace hors de lui et qu'il tient pour solide et base, recopie soigneusement une nature d'images et de faits sans penser qu'elle n'est peut-être qu'une projection de son esprit et son attention glisse sur des surfaces, d'où l'épithète « superficiel ». L'art ou malpropreté est en ce cas qu'il transpose ou déforme. Quant à voir au travers il faudrait d'autres yeux derrière les yeux pour les regarder sous la voûte du crâne.

— Ou bien *l'autre univers** arrache l'homme aux aspects et aux formes externes et le tire dans sa tête. Mais les cinq doigts de la main sensorielle n'ont aucune prise sur ce monde-en-creux, ce monde-reflet, ce monde de prestiges plus *vrai* que le monde des formes sensibles puisque, en lui, *quoi qu'on dise on ne peut pas mentir.*

L'esprit confusionniste de la critique a baptisé cette seconde forme d'activité créatrice de deux appellations particulièrement imbéciles, c'est à savoir : littérature (ou peinture) d'imagination, littérature (ou peinture) subjective. La critique psychologique la plus élémentaire de l'imagination dite créatrice constate que celle-ci ne crée jamais rien, mais ne fait qu'amalgamer

* Je ne me fais pas dupe de cette pseudo-dualité que, seule, dissocie la nécessité de l'exposition. Mieux que personne je sais qu'il n'y a qu'un. L'expédient métaphysique le plus enfantin rétablit l'unité. Exemples : le monde extérieur est illusoire et toute perception devenant rêve : la première démarche se ramène à la seconde. Ou bien l'esprit de rêve a une réalité propre et la seconde se confond avec la première.

des fragments de souvenirs sensoriels selon une composition différente de leur assemblage habituel : tels seraient s'ils avaient été imaginés et non pas réellement vus, les monstres de la légende avec leurs têtes de coqs ou d'épingles, leurs pieds de table, leurs âmes d'enfant, leurs queues de carotte et leurs corps de lions ou de balais ou de baleines. Ainsi font les grands imaginatifs qui, pour des sommes dérisoires — prenez place, la séance va commencer — évoquent devant les yeux d'eau grasse du public les orients et les antiquités, toutes les reconstitutions historiques et préhistoriques — visibles pour les adultes seulement. Ce n'est pas dans les domaines pseudo-arbitraires de l'écœurante fantaisie qu'ils se meuvent, ceux qu'un fatal accrochage, un jour blanc de leur vie, a arrachés aux tapis roulants d'un monde dont leurs mains soudain de feu ont incendié les celluloïds et les cartons-pâtes.

Alors sous le signe de l'éclair du vert tonnerre, un clignement d'œil durant, l'homme a entr'aperçu tout au fond de sa tête la bordure de l'allée aux statues en allées, l'allée des fantômes et des miracles où l'on tombe par les placards à double fond des coïncidences, les fausses portes basculantes des rencontres chocs et les chausse-trapes affolantes des paramnésies.

Dorénavant le seul but de sa vie devient l'entrée de cette voie interdite qui mène de l'autre côté du monde, pour peu qu'il appartienne à cette famille d'esprits qui se détournent avec lassitude et dégoût de toute recherche dont le but par cela même qu'il est réputé logiquement possible à atteindre, donc virtuellement préexistant, se dépouille immédiatement de tout intérêt.

Mais le seul problème actuel se présente sous

les heureux auspices de la plus parfaite absurdité logique. Comment faire entrer au cœur de cet impossible univers dont un instant de divination n'a dévoilé l'implacable existence, en un sommeil magique, que pour laisser à jamais son ombre entre le voyant et le faux monde où il ne peut plus vivre. Car l'état de conscience habituel à l'homme éveillé ne peut strictement rien percevoir de l'angoissant domaine où règne une logique protéenne irréductible à la raison. Comme le sujet connaissant, tel qu'il est, n'a aucune chance de pouvoir jamais faire entrer cet inconnu dans la zone d'investigation dont il dispose, il ne lui reste plus qu'à changer de conscience, qu'à sortir de lui-même pour, devenu plus vaste, être l'inconnaissable que c'est la seule façon de connaître[*].

Par le refus perpétuellement cruel, j'entends sans rémission, d'un univers mie de pain, par l'abandon de toute habitude, de toute technique acquise, qui ne vaut que par le sacrifice qu'on en fait — avec l'amertume au goût de lierre qu'on mange, par un appauvrissement systématique de tous ses moyens et par l'oubli voulu dispersant aux vents vastes la conscience éperdue de tous ses souvenirs, qu'il fasse le blanc sur sa conscience ou feuille de papier où tout ce passé s'inscrivait en lignes si nombreuses que sa pensée ne pouvait que suivre ces pistes à l'avance déterminées en cercles vicieux.

[*] Attention ! Comme la *Critique de la Raison pure* porte sur l'impossible connaissance du « noumène » et non pas sur une identification avec lui que je déclare, par expérience, possible, c'est la seule façon d'échapper à cette critique.

Qu'importent l'œuvre et la démarche parallèle qui la purifiera. Tous les moyens valent également. Il suffit de les pousser au paroxysme et de dépasser d'un cran le point limite. Que la variation sans cesse des étalons esthétiques usés dès leur naissance fasse enfin désespérer de l'art, qu'un impressionnisme transitoire ait enseigné peu à peu aux peintres le détachement de l'objet ou que la hantise du mot à son maximum d'évocation, du grand mot unique, du Maître mot impose peu à peu le vrai silence à Mallarmé, il y a toujours ascèse jusqu'à l'image pure de la véritable création. Tableau noir. Papier blanc.

Mais quand Rimbaud jette à la mer avec le « bateau ivre » les fabuleuses richesses de son art, il cède plus consciemment à une obligation morale. Car l'œuvre de celui qui a voulu se faire voyant est soumise, jusqu'à sa condamnation finale et au-delà à la seule morale que nous acceptions, à la morale terrible de ceux qui ont décidé une fois pour toutes de refuser tout ce qui n'est pas *cela* en sachant pertinemment à l'avance que, quoi qu'ils atteignent, ce ne sera jamais *cela*.

Que si sur le chemin du pays qui n'a pas de nom le voyant rencontre la beauté, elle ne sera que le reflet de son idée morale de révolte, c'est-à-dire que pour tous cette beauté sera à jamais révoltante.

Et si l'on veut encore appeler « belle » une image arrachée à l'ouragan du vide, sa beauté sera deux fois plus objective que ce qu'on a coutume de vêtir de ce nom. D'abord parce qu'elle vient d'un monde plus près de la réalité et plus universel que la célèbre nature. Aussi parce que celui qui la traduit en humain ne peut la transposer. Car elle est sauve de l'inévitable coefficient de déformation individuelle du seul fait qu'elle ne peut pas être l'œuvre d'un individu qui dans sa création n'a été que le geste. Celui qui a vidé sa conscience de toutes les images de notre faux monde qui n'est pas un vase clos peut attirer en lui, happées par la succion du vide, d'autres images venues hors de l'espace où l'on respire et du temps où le cœur bat, souvenirs immémoriaux ou prophéties fulgurantes, qu'il atteindra par une chasse d'angoisse froide. En un instant l'univers de son corps est mort pour lui : je n'ai jamais pu croire quand je fermais les yeux que tout restait en place. Je ferme les yeux. C'est la fin du monde. Il ouvre les yeux. Et quand tout fut détruit, tout était encore en place, mais l'éclairage avait changé. Quel silence, bon dieu, quel silence.

Les corps traduisent pour les corps, les corps-médiums livrés aux délires des automatismes éveillés. Ou bien dans les sommeils profonds où la mort rôde, où la conscience universelle filtre sans bruit dans l'inconscience du dormeur le rêve aux mains de glace prend un message du monde-en-creux dans son miroir. Et dans la fièvre des réveils nocturnes les corps se tordent, crânes vrillés par l'amnésie. Et comme pour voir mieux l'étoile consternante il ne faut pas diriger en plein sur elle le faisceau des rayons visuels, car la contemplation fixe aveugle, mais regarder un point fictif dans l'espace pour voir du coin de l'œil l'étoile au regard d'aiguille, avec un calme désespéré le dormeur éveillé cherche à tromper le monoïdéisme du trou mémoriel. Qu'il retrouve seulement aux brisures d'un éclair et délire !

Ce n'était pas l'oubli quelconque d'une idée banale. C'est l'amnésie-signal d'alarme, l'amnésie des param-nésies. L'amnésie dont la seule peur me fait écrire.

L'amnésie des révélations qui sont des gifles pour les hommes et qui seront bientôt des coups de couteau dans le dos. Paramnésie-caravane de sanglots, dernier signe étrangement solennel, annonciateur de ma mort, au bouleversant tumulte que tu déchaînes au plus haut sommet de l'Esprit, qui se tient droit encore en moi, tu me fais reconnaître, seule, à travers un univers que je récuse, le message du monde-en-creux, des nuits du feu, la beauté de chair et de nerfs, la beauté éternelle et désespérante des révolutions sidérales et des révolutions de sang !

LA PROPHÉTIE DES ROIS-MAGES

Je suis prophète !
Je suis prophète !
Je suis prophète !
Les temps sont proches où, parmi la Grande-Nuit-Panique, l'horreur ancienne dévorant la graisse de leurs reins, les hommes appelleront : Elie ! Alors ma voix clamera : Je suis là !

Perdu au plus haut sommet de la plus haute nuit de terre. Monté à la pointe pyramidale du cristal total de la nuit, de la grand'nuit d'Épiphanie, guidé par l'Étoile des Mages, celle qui scintille au rythme égal de mes sanglots tandis qu'à mon antique incantation : « Je pose mon pied droit sur le bois de l'antibois en l'honneur des trois grands Mages Melchior, Balthazar et Gaspard », les vieux rois venus d'Orient défilent dans le ciel. Et de ce point unique de la plus haute nuit le triple temps dans un frisson, une pointe piquant mon front, s'enroulant sur lui-même s'est dévoré en disparaissant selon l'ellipse. Alors l'étoile du haut Orient céleste, j'en ai vu le reflet à l'Est de la terre. Et voici, la terre marquée était celle d'Indra, le seul point de l'esprit humain où se glisse l'intrusion magique du souffle de l'Esprit dans l'évolution matérielle.

L'Est part de l'Est, meurt et retourne à l'Est, ressuscité. Tout ce qui est d'Occident est de la mort, d'Ouest décédé, de Couchant trépassé.

Et l'an 1930 non bissextile où la France gémit sous Tardieu et sous Chiappe (qu'ils pourrissent vivants !) verra sous son règne de Grandes-Choses-Sombres encore invisibles, mais qui déjà menacent nos horizons, j'ai dit. Le premier Jour du 1930 sinistre marque l'éveil terrible sur l'Inde de la Révolution-du-Non-Agir et la chienne Angleterre aux joues de beefsteack, aux yeux de whisky sent se hérisser son poil et son cœur à grands coups heurter le mur des côtes. Voici pour elle l'année de la Peur : en vérité, Albion, ta blancheur de peste sera rouge avant que ce temps ne se passe et beaucoup de sang coulera sur l'éternelle Asie. L'Indien triomphera. L'Anglais rencontrera le slave en terre Afghane et en terre Mongole.

Entre les tribus d'Ismaël et les Hébreux le sang coulera sur les murs de Sion qui fut reine.

Les Amériques verront leur or les tourmenter, leur crédit s'ébranler, les Races s'affronter et beaucoup gémir dans des ruines immenses.

Le poison des Incas ressuscitera et les fils des Espagnes en mourront par myriades.

Une grande clameur tournera autour de l'Europe et l'Europe n'entendra point. L'Europe dormira gardée par ses polices et ses léviathans mercenaires et seules feront bruit les contestations des usuriers.

Et pourtant, Europe, en vérité je le dis, c'est cette année même que s'éveillera dans ton sein l'Esprit de ta Mort.

Car l'an 2000 écarquillera les yeux en vain et ne découvrira plus l'Europe sur la croûte du monde.

Alors de Paris d'Occident il ne restera que cailloux et ronces en étendue horizontale afin que s'accomplisse la prophétie.

Seulement alors la france méritera son surnom de « spirituelle » car

Le vent de l'esprit

Ne souffle qu'au désert.

Ainsi tout s'accomplira comme je le dis et parce que je le dis.

Pour que vienne la nouvelle loi troisième et dernière avant le Feu de l'Œil.

L'HORRIBLE RÉVÉLATION...
LA SEULE*

> *Quoi qu'il en soit, je crois que l'imagination humaine n'a rien inventé qui ne soit vrai dans ce monde ou dans les autres et je ne pouvais douter de ce que j'avais vu si distinctement.*

GÉRARD DE NERVAL
Aurélia

Est-il mort le secret perdu dans Atlantis ?

N'est-il pas vrai, ô mes Amis, qu'il y a beaucoup de notre faute dans la présente abjection des mondes ; les sages porte-ciel n'ont-ils pas failli à leur travail de cariatides ; ne les a-t-elle pas fléchis la pesante voûte concave du ciel de la Toute-Pensée ; ne menacent-ils pas ruine les piliers du trône de l'Être ; tout sombre-t-il par les espaces ?

Aussi bien je suis seul sans même un pan matériel pour porter mon ombre réelle et la création rêvée entre mes tempes je la porte toujours à la pointe

---

* Fragment ébauché d'un volume à paraître dont le titre est : « Terreur sur Terre » ou « La vision par l'épiphyse ».

extrême de mon regard tendu. Où en sommes-nous avec les siècles ? Nous vivons des années très sombres et sans sursaut depuis quels temps l'univers s'en va vers *sa* nuit. Ombres de ceux dont la seule peur était que le ciel ne tombât sur vos têtes voici que vous pouvez sérieusement trembler. Vous allez *souffrir* sur le rythme de la respiration cosmique. Vous souvient-il qu'avant tout aspirait vers l'unité une. Maintenant tout expire dans la multiplicité des douleurs. Et le faix d'instant en instant s'exagère plus écrasant sur ceux qui soutenaient les mondes en les pensant. Depuis quels temps leurs échines ne furent-elles pas revigorées au déclic foudroyant de l'Esprit des tonnerres — l'Esprit...

Est-il mort le secret perdu dans Atlantis ?

Une voix va parler encore une fois par ma voix pour redire ce qui fut dit déjà à l'aube des civilisations mères de celles qui défaillent sous le présent soleil, ce qui fut dit au plus loin de mémoire par la voix de Lao-Tseu il y a près de trois mille ans ; je vais parler avec, devant mes yeux intérieurs à jamais fixes, la vision éperdument fuyante mais *certaine*, de toutes les contradictions, de toutes les catégories, de toutes les définitions, de toute la diversité réintégrées au point-mort de la toute évidente éternité. Mais qui donc, sinon le désert, a entendu la voix qui parlait au désert ?

Pour peu charitable que ce puisse paraître, il faut bien se rappeler que dans sa première nuit terrestre l'homme s'est égaré lors de son premier choix et que depuis il persévère dans cette voie maudite, puisque aussi bien et sans conteste l'erreur est pour lui le seul moyen d'exercer son faux libre arbitre. En effet si dans Eden, c'est-à-dire en lui-même le funèbre avorton désirait si fort violer un arbre que n'a-t-il mordu à l'Arbre de Vie qui l'éternisait plutôt qu'à l'arbre de Science qui le vouait à l'abrutissement sans bornes durant la consommation des siècles. Or voici que passe le dernier siècle ; car, et c'est écrit, en l'an deux mille va jaillir de l'Arbre de Vie déserté le Feu pur et dernier qui sera le suaire de la terre.

En face de six mille ans d'histoire qui virent, étonnés, l'homme marcher non pas même de biais comme le crabe mais à l'envers comme la langouste, en face de cette monstruosité soixante-dix ans humains demeurent. Voici le bout du monde. Voici le temps de la veillée ardente.

Dans ces fatales conditions qui donc, s'il n'est dément, jouerait son sort sur l'état actuel du savoir humain ? Au premier chant des sirènes, au premier cri des météores qui ne lâcherait le sabot pour se jeter à corps perdu, à cœur perdu dans l'inconnu.

Dernier argument : que les habitants qui écoutent s'empressent d'écouter, car avant peu d'années et bien avant les temps, les derniers témoins vivants et vivants de la vie de cette cause perdue que je fais mienne seront morts, morts à jamais et les derniers hommes dits nouveaux s'en iront en chantant leurs machines vers l'épouvantable nuit de leurs destins-fossoyeurs.

Mais est-il temps encore de se déprendre ?

Est-il mort le secret perdu dans Atlantis ?

Un bolide qui tombait vertigineux suspend soudain sa chute en un point de son trajet élu de toute éternité, — puis immobile dévore sa vitesse en lumière vibrante.

Et voici que je proclame rompue la Grand Trêve, la trêve sur laquelle depuis dix mille ans reposaient les ossements des morts de notre race ! Des lointains du passé le plus immémorial remontent les souvenirs-fantômes qui auguraient l'heure présente des temps nouveaux.

Souvenez-vous, hommes, du fond caverneux de vous-mêmes : *votre peau n'a pas toujours été votre limite.* Il fut un temps où la conscience n'était pas emprisonnée dans cette outre puante, un temps où le cercle magique des horizons lui-même ne suffisait pas à emprisonner l'homme. Et je ne parle pas seulement d'Eden dont les clôtures étaient de rêve.

Regarde, ô spectateur bénévole et désespéré, de tous tes yeux regarde, pour toi, pour ta gouverne, pour tes rêves prophétiques, pour te permettre de suivre désormais l'étoile du devenir, voici que soulevant un pan du grand voile d'Isis je te découvre les prestiges du passé, du présent et de l'avenir, du passé le plus lointain de l'univers, de ton propre passé plus vieux encore jusqu'au point immémorial où l'individuel sortit de l'universel et dont le signe demeure de l'ontogénèse qui symbolise la phylogénèse, de tous les passés, du présent en lame de couteau et de l'avenir jusqu'à la fin. Entends, de tout ton intellect entends, je proclame la dialectique historique du devenir de l'Esprit.

Voici l'heure du choix nécessaire. Quiconque ne sera pas avec moi sera contre moi. Voici : le Ciel et l'Enfer descendent sur la terre et malgré qu'elle en ait l'humanité totale se sépare et va, polarisée en deux immenses colonnes en marche, chacune émigrant vers la Maison que, de toute éternité, elle s'est choisie.

L'Enfer : c'est l'Insecte. Ris donc, monstre hominien, ris si tu en as encore le courage, tu n'as qu'à persévérer dans la voie que tu suis sur le globe en ces jours, et, réellement, cette ère ne passera pas que tu ne deviennes minuscule et coriace comme l'habitant des termitières qui est ton digne ancêtre et dont tu suis l'exemple. Contemple où tu en es et sache que ton progrès matériel n'est pas un vain mot. Perfectionne tes machines, rationalise ton travail. Spécialise-toi, ta physiologie suivra et te transformera bientôt en l'outil de tes vœux. Rappelle-toi, voici, je te donne un signe à quoi tu reconnaîtras si je dis vrai ; dans peu de temps *tu ne rêveras plus*. Alors, conséquence obscure pour toi et néanmoins fatalement directe tu perdras toute conscience individuelle. Tu deviendras une partie inconsciente, un engrenage de ta machine sociale et, sans sursaut, tu atteindras ton but suprême de cellule indivise d'un organisme rationnel comme les fourmis, comme les abeilles. Et comme elles tu raccourciras et tu durciras. Et tu seras insecte.

Le Ciel : c'est le Géant cosmique dont le chef a trois yeux. Va, au plus loin de toi, va retrouver l'espoir ancien qui sommeille dans les entrailles du dernier féticheur du dernier clan sauvage. Et tu te souviendras que l'homme des sorts lorsque, grand de plusieurs statures humaines, il se tient debout au sommet d'un haut lieu, se sait le *Nœud-des-Mondes*. Selon la fascination des Influences, il sait que le Soleil est son œil droit, la Lune son œil gauche. Que les cavernes du Grand Espace sont aussi dans son corps. Le Bélier dans sa tête, le Taureau dans son cou, les Gémeaux dans ses bras, le Cancer dans sa poitrine, le Lion dans son cœur, la Vierge dans ses reins, la Balance dans ses entrailles, le Scorpion dans sa queue, le Sagittaire dans ses cuisses, le Capricorne dans ses genoux, le Verseau dans ses jarrets, les Poissons dans ses pieds.

Que chacune des Planètes vit dans les organes de son corps et dans les lignes de ses mains au tranchant Martien à la base lunaire, que ses doigts ont dédié le pouce à Vénus, l'index à Jupiter, le majeur à Saturne, l'annulaire au Soleil et l'auriculaire à Mercure.

Que son Être est le lieu des Esprits innombrables : l'Âme antique du Clan, les Mânes des ancêtres et son Père-Animal, et la Plante-Aïeule et le Père-de-Pierre, et enfin tout entier en petit le Père-Esprit-des-Univers.

Et ce somnambule aux yeux blancs, ce médium à la voix tordue aux forges de gorge, ce pantin aux gestes immenses répercutés aux quatre coins de l'horizon par les anges à face bestiale des points cardinaux, identi-fiant son nombril d'homme au zénith, ombilic du ciel, lorsqu'il gesticule rituellement, qu'il mime la croix des bras, l'offrande des paumes, le triangle des coudes, le nœud des jambes, le cercle magique, ses gestes vont plus loin que leur ombre portée sur la cendre des plaines, plus haut que les rocs d'air céleste flam-boyant, plus bas que le ciel souterrain des abîmes de la terre où des lunes d'ombre gravitent autour du feu du centre, ses gestes commandent aux grands Génies-des-Mondes qu'il évoque.

Car les Images-Premières du Rêve immémorial ont consacré cet être en l'inondant du sang brûlant, du sang rongeur, du vitriol des Mythes véritables nés du chaos originel.

Le Rêve lui a enseigné la grande loi magique et ani-mique de la Participation.

Il sait :

Que Tout est animé, vivant, et voulant, que tout par-ticipe de tout, que tout agit et réagit sur tout jusqu'à métamorphose et que l'homme dans le monde est un

centre de forces émanant ses pouvoirs magiques et rece-
vant les influx bénéfiques ou maléfiques de tous les êtres
et de toutes les choses. Cette loi magique découle de
la structure intime des Univers où toutes les créations
particulières étant formées à l'image l'une de l'autre se
symbolisant et se correspondant, tels le microcosme et
le macrocosme, dans cette mesure ont puissance l'une
sur l'autre.

Or, voici le fil d'Ariane, voici la voie initiatique,
voici la loi du Devenir de l'Esprit :

Souviens-toi donc, homme sinistre, de ton omniscience originelle. Surgis de tes ténèbres intérieures.
Je n'instruis pas, j'éveille et nul n'est initié que par
lui-même.

Dans l'incréé Principe l'Esprit sommeille prénatal,
bercé entre l'être et le non-être parmi les limbes des
possibles infinis. Par l'Acte pur natal, il se retire en
lui-même pour émaner des êtres limités. La création
tout entière correspond à une phase de dégradation de
l'énergie par individuations successives jusqu'au plus
vaste morcellement des ions magnétiques de l'atome.

La phase inverse est la loi de tout esprit limité dont
l'obscur vouloir, à travers le devenir, doit tendre à sortir de soi, à s'universaliser, jusqu'à recouvrer l'intégrité
de son unité primordiale. Alors, s'étant énuméré, l'Esprit un et total se réalise dans la plénitude de son être.

Et ces deux phases du Rythme de l'être sont celles
de la respiration des poumons, des battements du
cœur et des marées de l'Océan, cœur de la terre.

Que chacun se souvienne : la parcelle d'être qui fut
dévolue à sa conscience au commencement du monde
n'était pas irrémédiablement séparée de l'être univer-

sel, de l'Esprit partout présent sous ces symboles différents que nous appelons les aspects de la matière et qui forment le monde extérieur.

Alors sa vie psychique était celle de l'aube de toutes vies, celle de l'enfant, celle du primitif, celle du rêveur aussi, car le sommeil est un retour rythmique au pays d'avant-naître[*].

Mais chez toi, homme d'Occident, depuis ces temps lointains, à cette forme première de l'esprit s'en est peu à peu substituée une autre dont tu t'enorgueillis incroyablement. Peu à peu tu t'es bâti une raison puissamment établie sur les bases du principe d'identité et du principe de contradiction, une logique rationnelle et discursive, une science qui t'a donné sur la nature des pouvoirs positifs et tu crois qu'un progrès indéfini t'entraînera indéfiniment vers des sommets. Hélas, n'as-tu pas prévu qu'indéfiniment encore ces sommets hypothétiques reculeraient devant toi. Certes, peu à peu, tu perfectionneras jusqu'au mécanisme idéal, ton organisme social. Mais ne t'aveugle

---

[*] Freud écrit, par exemple, à propos de la conscience de rêve : « Le lien causal peut être supprimé », ce qui est le propre de la pensée prélogique. « Toute transformation immédiate d'une chose en une autre représente dans le rêve, croyons-nous, la relation de cause à effet » et : « Les représentations contradictoires s'expriment presque toujours dans le rêve par un seul et même élément. Il semble que le "non" y soit inconnu. L'opposition entre deux idées, leur antagonisme s'exprime dans le rêve de cette façon : un autre élément s'y transforme après coup en son contraire. » (*Opus : Le Rêve et son interprétation.*) Ceci décrit exactement l'esprit de participation du primitif, sa dialectique inconsciente et concrète par métamorphoses. Freud rappelle encore que, dans beaucoup de dialectes primitifs, le même mot signifie à la fois « faible » et « fort », « dehors » et « dedans », etc.

pas là-dessus. Tourne un peu tes regards à l'intérieur de toi, contemple ton esprit et souviens-toi du tonneau des Danaïdes. Dans ta spéculation, tandis que les hypothèses s'accumulent sans cesse dans une diversité sans fin, tes concepts se vident peu à peu de tout contenu. Tes sciences, tes belles facultés mathématiques jonglent dans la Vanité abstraite, dans la grande vacuité, dans les Ténèbres extérieures, dans les régions de l'éternelle Limite. Tes fantômes d'idées s'éliminent, s'effrangent, s'usent, pâlissent, s'éloignent, se fuient. Pauvres petits ballons, un jour, ils t'éclateront sous le nez et tu te réveilleras avec une loque de baudruche dans les mains. Et pourtant ta société sera devenue parfaite. Et toi tu seras comme une mouche ! Va maintenant vers ton idéal, inconscient insecte, et crisse des mandibules, si tu veux.

Non, tu préfères un autre sort. Alors détourne-toi, il est grand temps. Voici ton salut :

Voici le Sang des Rêves.

Ne crains point, ô civilisé aux orteils recroquevillés, ton Sauvage est ton Sauveur, et ton sauvage n'est pas loin, il dort encore au fond de ta conscience[*].

---

[*] Autrement dit, en s'en référant aux travaux de Lévy-Bruhl, il suffit d'admettre qu'il existe bien, comme il les départage, une mentalité prélogique et mystique différente de la mentalité logique rationnelle et discursive, mais la première n'est pas l'apanage exclusif des sauvages, non plus que la seconde des civilisés, car l'esprit est un et ces deux modalités de son fonctionnement se retrouvent dans chaque conscience humaine. Tout au plus, l'une est-elle parfois atrophiée aux dépens de l'autre.

Est-il nécessaire de rappeler, à l'appui de cette thèse, que notre Pasteur national, ignoble type de savant logique, pour comble était chrétien et comme tel croyait au dogme de la transsubstantiation, par exemple, qui est bien prélogique et mystique.

Mais avant de te confier à lui, sers-toi encore une fois de ta chère petite raison pour m'entendre :

Je veux que tu saches cela, pour tuer ton puant orgueil.

Ton esprit d'Occident n'était qu'un moment de l'évolution dialectique du Grand Esprit.

Ô vexation, tu n'étais même que le moment négatif de l'esprit du sauvage et vos contradictions vont s'identifier :

Au Sauvage dont la conscience est indistinctement éparse dans la nature s'oppose l'individu proclamant « je suis Moi » et se repliant sur soi-même pour que, réellement incarné dans sa personnalité, connaissant ses limites et se niant comme tel, puisse naître l'Homme-à-trois-yeux qui, dépassant l'individu, sera, en vérité, la conscience cosmique.

Tel est l'unique sens de l'évolution salvatrice.

Fais donc table rase de la somme de tes connaissances, ô raisonnable, elles ont fait leur temps, — et tourne-toi vers cette nouvelle direction. Aussi bien tu ne seras pas seul. Depuis le temps sans mémoire de l'aube totémique tous les esprits n'ont pas suivi la même voie d'erreur sinistre. Tandis qu'à l'Occident du monde les hommes reniaient leur âme primitive et développaient uniquement les produits de leurs facultés rationnelles, à l'Orient, des races entières, sans négliger cette voie nouvelle n'ont pourtant pas oublié l'autre possibilité et parallèlement ont développé leurs facultés mystiques. Longtemps l'Asie fut le refuge de cette seule vie réelle de l'esprit.

Alors qu'à l'heure présente le déterminisme économique précipite la chute des antiques civilisations de l'Est en tuant leurs traditions pour les réduire à adopter la formule occidentale ou sinon à tomber au rang de matières premières pour leurs colonisateurs-bourreaux il ne demeure plus que quelques individus partout disséminés en dépit des géographies pour vivre et proclamer la loi.

En Orient comme en Occident l'évolution s'est appelée progrès. Mais celui de l'Occident demeura toujours extérieur à l'esprit. Il porta uniquement sur les produits de l'Esprit, ses instruments dans le sens le plus général de ce mot qui va du microscope à toutes les opérations mathématiques. L'Occidental fut aveuglé par l'illusion d'universalité, la fausse antinomie qui oppose le monde objectif au monde subjectif. S'appuyant sur le critérium collectif, il pouvait se fier à la puissance sur la nature que lui donnaient ses découvertes, qui elles-mêmes se cantonnèrent dans une zone suffisamment extérieure de l'esprit pour que l'universelle raison puisse y saisir l'évidence d'une objective vérité.

Au contraire toute la vie intérieure de l'esprit, l'univers entier des images subjectives lui apparut à jamais négligeable et irréductible à la connaissance en vertu de ce principe d'Aristote : « Dans la veille nous avons l'univers en commun, dans le rêve chacun a le sien » qui consacra la plus effroyablement absurde des erreurs et condamna toute possibilité de développement spirituel.

L'Orient, au contraire, a toujours proclamé l'identité du monde sensible et du monde subjectif. Ainsi entre un féticheur primitif dans ses rêves les plus obscurs, et un grand mystique d'Orient dans les sommets de sa pensée il n'y a pas différence de nature, mais

seulement de degrés et encore dans l'expression seulement, — il est vrai que cette expression par le discours
logique réalise la claire conscience de ce dont le nègre
est inconscient. C'est que le rôle de la raison discursive doit se borner uniquement à donner à l'Esprit un
point de vue sur lui-même en quelque sorte extérieur
et ainsi lui offrir le miroir où se refléter exactement
et se définir.

L'Orient tout d'abord, de l'antique loi de participation tira la seule authentique méthode de connaissance. Connaître est le reflet de créer. Pour connaître
le sujet doit s'identifier à l'objet. L'individu doit tout
d'abord projeter sa conscience tout entière dans la
chose à connaître, se métamorphoser en elle par fascination puis par retour l'intégrer en soi. Dans ce geste
double de l'esprit tient toute la Voie directe, la marche
du développement spirituel.

L'initiation de l'esprit humain à sa fin universelle
et une s'accomplit selon ce rythme. L'esprit doit tout
d'abord faire vivre une idée, en créant une forme. Qu'il
imagine cette forme avec une concentration de pensée
poussée par un long et subtil entraînement jusqu'à
produire l'objectivation de l'image subjective. Alors la
forme qu'il a engendrée, vivant d'une existence qui lui
est propre s'égale aux autres formes du monde extérieur. De sorte que s'il sait par la démarche inverse
intégrer en lui l'image qu'il avait projetée au dehors il
pourra également intégrer en lui tout le monde extérieur comme une ombre vaine et noyer dans le même
néant toute objectivité et toute subjectivité jusqu'à se
saisir en tant que conscience unique de l'Être Un. Il a
atteint ainsi le sommet de la connaissance.

De là cette effrayante gymnastique du « Je suis

cela » et ces drames éternels que l'initié se crée et se joue à lui-même dans SA propre solitude. De là cette science qui connaît la perfectibilité infinie de la raison concrète et la marche ascendante qui identifie en l'unité de l'être toutes les contradictions. Pour celui qui sait que tout ce qui est sorti de l'Esprit doit rentrer en lui, il apparaît soudain dans une illumination terrible, que l'erreur n'est qu'un mot, que tout est vrai de plus de mille façons possibles et que tout ce qui fut une seule fois rêvé existe à l'égal de toutes les existences distinctes, ni plus ni moins illusoire qu'elles.

Celui qui crée des fantômes, les projetant hors de lui, pour, les niant ensuite, nier en même temps toutes les apparences et saisir l'être, saisit ainsi les lois profondes, la structure de l'âme humaine et découvre une nouvelle universalité.

À l'universalité de la raison scientifique, — celle des mathématiques à sa base — peut s'opposer une universalité de l'intuition immédiate dans d'autres domaines de l'esprit. Seulement, ce nouvel aspect de l'universel n'est pas saisissable par toutes les consciences humaines, il ne peut être atteint qu'au prix d'un long entraînement et de toute une évolution qui déterminent l'état propre à cette révélation.

D'abord l'universalité des rêves et des mythes. Il est un univers onirique réel et commun à toutes consciences. Il possède ses lois propres et ses drames éternels. CE qui rêve quand on dort se meut dans ce domaine inconnu comme le corps fait dans l'espace quand on veille. Cet univers n'a pas de soleil et chaque objet s'y éclaire de sa lumière propre ; c'est le pays des métamorphoses. Si le sens du rêve atrophié chez les Occidentaux les rend à peu près ignorants de ce pays des merveilles, par contre la conscience primitive y a trouvé ses révélations premières et ses occultes traditions. C'est de là que le Négrito ou l'Australien, le Fuégien ou le Groëlandais tirent cette étrange connaissance du mystère : d'où leurs croyances partout identiques quant à tous les aspects de l'invisible du séjour des morts et de la vie des dieux.

Au plan supérieur, c'est l'universalité de l'expérience mystique. CE que *voient* les *Voyants* est toujours identique. Ils ont un univers en commun qui ne se dévoile que sous le signe de l'extase.

Les prophètes et les inspirés de tous les temps et de tous les pays ont toujours proféré la même révélation. Seules, diffèrent les interprétations individuelles déformées par les religions. Mais l'ésotérisme de tous les fondateurs de sectes est identique dans son essence.

Enfin la synthèse dialectique de l'Esprit commencera de naître quand sa faculté rationnelle prendra pour objet la Sphère de la Révélation et en saisira les lois cosmogoniques, métaphysiques, physiques, éthiques et esthétiques qui seront universellement vraies lorsque l'ascèse accomplie aura anéanti le coefficient d'erreur individuelle.

C'est là qu'est la voie du devenir de l'Esprit.

Hélas, les lunettes n'ont jamais engendré de Visions. C'est l'abus des lunettes qui rendra l'Occident aveugle. *Lorsqu'il ne rêvera plus* un grand souffle passera sur les terres fangeuses de l'Ouest et en balaiera toute conscience. Des fourmis, vous dis-je, il ne demeurera que des fourmis.

Le *monde onirique* est un système de visions cohérent et universel au même titre que le monde extérieur. De même que le monde extérieur est le lieu des actes du corps et que le choc de résistance de ses images conditionne, façonne, et rend efficaces ces actes, de même l'univers des mythes est le lieu des actes de l'Esprit et ses images sont la seule source de vie de la pensée concrète. Antée de cette terre inconnue, si l'homme perd pied, s'il fuit cette patrie de l'âme, ses concepts se dessèchent, se vident et leurs résidus abstraits se perdent dans la vanité du vide inconsistant.

Les Images premières, les Images intérieures originelles étant universelles engendrent dans tout esprit qui les saisit des projections identiques. Si bien que nos prophètes sont au milieu de nous, et le signe des mythes les dénonce. L'âme primitive n'est pas morte encore en Occident puisque demeure la sanglante nourriture des rêves. Effroyablement réprimés depuis des siècles, asservis par les religions qui cherchent à détourner leurs furieux élans au profit du plus dégoûtant des organismes sociaux, les rêves se vengeront sur l'agonie des cultes.

L'angoisse des phantasmes inexprimés monte et fuse et crache au ciel de l'être. Elle stigmatise ses élus. Ceux dont la conscience est le lieu du *fait lyrique*. L'humour funèbre et sinistre du mot « poète » incroyablement prostitué n'empêche pas quelques-uns par siècle de porter au-dessus de la collectivité qu'ils insultent le sacerdoce viatique de l'esprit. L'inspiration poétique, — exactement *créatrice* —, est la forme occidentale de la Voyance. Le poète, ainsi défini au plus loin de son habituelle acception, est le faible mais authentique reflet du féticheur nègre et du mage oriental. Les sens de l'animisme, de la participation, de la magie et des métamorphoses décrivent en la limitant la démarche poétique. Le milieu social du poète le caractérise douloureusement par l'antinomie d'un esprit en tous points conforme à la mentalité primitive mais dont le sens de l'invisible* est, hélas, héréditairement atrophié. Le caractère propre à l'inspiration comme à l'émotion poétiques — aspects actif et passif du même phénomène — est celui de la paramnésie. Tout Occidental bouleversé par la révélation du rêve est irrévocablement voué au désespoir, au supplice sans nom de l'image entrevue à la lueur d'un éclair, perpétuellement fuyante *juste* en deçà, ou au-delà du champ de l'attention. Et pourtant cette image est immédiatement *reconnue*** : car elle appelle le déchirant souvenir d'une partie de soi-même perdue depuis des millénaires. Notre conscience, par rapport au *plan des mythes* est toujours dans un état qui correspond à ce qu'est le sommeil par rapport au monde extérieur. Il ne nous arrive que des lueurs lointaines, déformées, aussitôt éteintes que nées. Quand Rimbaud écrit « *Nous ne sommes pas au monde* » et « Mais je m'aperçois que mon esprit dort, s'il était bien éveillé toujours à partir de ce moment, nous serions bientôt à la vérité qui peut-être nous entoure avec ses anges pleurant » il pense à cette surhumaine tentative de lucidité. La conscience de l'homme est un *faisceau d'états*. À l'état morne, tout végète si bien dans les grasses ténèbres,

* Sens dont l'organe est l'épiphyse ou glande pinéale qui fut et sera le troisième œil (Cf. « Terreur sur Terre » ou « La Vision par l'Épiphyse »).
** Cf. Nerval, *Aurélia :* « Quoi qu'il en soit, je crois que l'imagination humaine n'a rien inventé qui ne soit vrai dans ce monde ou dans les autres et je ne pouvais douter de ce que j'avais vu si distinctement. »

les habitudes nourricières, les ornières de la routine pensante ! Mais la torture, mais la chape de plomb d'angoisse, à l'état dévorateur quand l'esprit est à l'intérieur du four-à-chaux, à la chaleur du four-à-chaux, qu'il fait blanc, qu'il fait très blanc et que c'est tout ! Pendant quel fragment de seconde l'esprit peut-il supporter sans être dévoré la température-fusion-des-contradictoires ?

C'est que le sens de l'invisible, abandonné depuis des siècles chez l'Occidental a presque totalement disparu, et que, pour renaître, il lui faudrait consacrer la durée de plusieurs vies humaines à l'affolante gymnastique d'éveil spirituel propre à l'Orient et seule garante du devenir de l'Esprit. Il n'empêche que les lueurs de nos *voyants* suffisent à indiquer la seule voie qui pourrait sauver l'humanité de son abjection sans bornes.

La Voyance, c'est la *métaphysique expérimentale*[*]. Toute *vision* ouvre une fenêtre de la conscience sur un univers où vivent les Images qui sont, en réalité, des formes de l'esprit, les concepts concrets, les symboles derniers de la réalité. La voyance est la dernière étape avant la lumière incréée de l'Être total, avant

---

[*] Quel obscurcissement de la pensée a-t-il empêché l'homme de tenir compte de l'identité et de l'universalité des témoignages mystiques des *Visions prophétiques* de Blake, de l'*Aurélia* de Nerval, des dialogues de Poe, des *Illuminations* de Rimbaud ?
La métaphysique expérimentale n'a-t-elle pas été pressentie par la tradition philosophique de Pythagore, d'Héraclite, de Platon, de Plotin, des Gnostiques, d'Apollonius de Thyanes, de Denis l'Aréopagite, de Giordano Bruno et même de Spinoza et même de Hegel pour qui l'aboutissement de la dialectique est le concept concret ?

l'Omniscience immédiate. De sorte que le fait lyrique doit se suffire à lui-même. Un poète ne peut croire qu'en la « poésie » qui est un nom du Monde du Mystère. Il ne peut penser qu'en la « poésie » qui est un nom du Monde du Mystère. Il ne peut penser que la transcription intellectuelle de ses visions. Car la révélation est une et la dictature de l'esprit engendre sa justice suprême. Nul ne peut être voyant et adepte d'une religion ou d'un système quelconque de pensée sans trahir sa vision.

Et le devenir de l'Esprit détermine la seule liberté humaine : ayant saisi ce devenir, s'incarner en lui et hâter ses voies.

La Raison d'Occident n'est qu'un moment dialectique. L'heure est venue de le dépasser.

Aussi « Poésie » devant tous les concepts de cette raison a nom « subversion totale » et devant toutes ses institutions « Révolution ».

Quand notre monde présent s'allumera comme une torche, dans l'éclat de rire de la grande fusée « Destruction universelle », il ressuscitera le Secret perdu dans Atlantis.

L'ÉNIGME DE LA FACE

EXPOSITION DE FIGURES HUMAINES
PEINTES PAR JOSEPH SIMA

Sous le signe de la *face humaine* il y a : des yeux inquiets contemplant des miroirs inquiétants où vivent leurs visages des profondeurs.

Il y a Sima médiateur entre l'homme et l'image de l'homme.

Il y a enfin, dans leurs prisons rectangulaires, les *portraits* : mannequins-fantômes, lourds d'angoisse comme des statues, légers de mort comme des baudruches ; ils baignent dans des couleurs atroces leurs masques déformés par le plus ancien des vices (de construction ?) la peur.

Une draperie au flanc porte en ses plis un poids d'envoûtement : le manteau d'Elie vivait.

Un portrait est par excellence le tableau : dans l'origine la figure peinte qui fascine jusqu'à métamorphose, — à la limite un point au centre d'un cercle qui peut s'annuler en reculant à l'infini.

Ce point, celui de fuite principal de la perspective italienne, limite le système de la vision humaine en trompe-l'œil d'infini. La peur commande réellement cette vision craintive des objets : la fuite de leurs lignes indique le lointain nombril du regard, mais les plus grands donc les plus dangereux sont les plus proches.

La nature ne connaît pas les lignes. L'animal ne *voit* point le tableau ; l'enfant non plus.

Mais la statue voit-elle le miroir où elle entre à l'improviste ?

La gêne que l'homme éprouve à contempler son propre portrait rappelle du lointain de la mémoire les lois anciennes qui ont frappé de Tabou l'image de l'être vivant. Car il est toujours dangereux de dédoubler sa propre image. La vraie. D'où la malice des hommes qui s'ingénient dès l'enfance à se façonner un masque social, genre épouvantail.

Trop longtemps solitaire, l'homme perd sa face.

Sima arrache un visage et attend.

Le spectateur contemple son portrait : Il suit ces lignes qui, limitant la face, signifient la peau ou plutôt sa face externe, une pellicule d'échanges osmotiques, une pelure au juste indiscernable, le lieu du monde où le moi rencontre le non-moi, où le corps colle au moule-en-creux de l'espace, — aussi bien carapace que réceptacle sensoriel, localisation d'une conscience, bocal d'un spectre, en boule dans la tête, s'effilant en toupie dans le torse.

Mon portrait n'est que mon semblable aplati, et ce qui veille au creux de mes sommeils m'a vu m'étendre, plat, dans le pays des morts, ainsi.

Et si je dis qu'un portrait est vivant, la vie de ce portrait ne s'arrache pas au cœur de son auteur, non plus qu'à celui du sujet peint, mais au grand cœur de la région obscure des limites, là où toutes vies, toutes consciences coïncident, dans la couronne de Nuit-Lumière, au tréfonds de la vie commune, la mère des splendeurs paniques accoucheuses des morts, — là où il n'y a plus que la souffrance, la vie pure, c'est-à-dire rien que la souffrance.

À TOI, SIMA

Aux merveilles perdues en naissant tu renais. Va, si ton cœur devient la machine à tonnerre, si tes yeux sont les âmes de l'absence qui changent en mercure le sang de tes artères, si ta chair se trame en dentelle de fils de pierre en stalactites, si sous la voûte immense de ton crâne la lampe de phosphore éclaire de vastes paysages morts et les désastres des déluges, si les ogives de tes côtes dévoilent les multitudes succombant devant l'autel humain du cœur, ce que tu peindras désormais, sera peint de ma main, de sa main, de toutes les mains qui pour ne plus trembler deviennent rayonnantes.

Déjà tu as appris à voir ce qu'il faut voir. Lorsque, quittant le bord majestueux des fleuves, les remorqueurs d'ombre et de suie, et le mystère des maisons détraquées, derniers trompe-l'œil de ce que tu prenais encore pour la matière, tu l'eus franchie, la frontière de feu, ton regard brûlant les objets ne put désormais que voir à travers. Au fond de tout tu reconnus les vieux mythes des maladies d'enfance et des illustrations de la symbolique freudienne.

Dès l'abord combien de fantômes de femmes te barrèrent le chemin. Mais tu savais déjà ne plus leur voir de têtes.

Puis tu crus reconnaître et peindre de vrais arbres. Mais ce qui venait sur ta toile, c'étaient les arbres déchaînés, c'était l'ombre astrale des arbres, les branchies du sous-sol prenant feu, la vie écorchée vive aux chairs roses saignantes, engluées de plasma, bombardées de cristaux et ta toile miroir cassé voyait deux fois l'image cruelle. La pie-grièche de la folie te guettera longtemps encore dans ces ramures.

Mais le plein-ciel attire le sommet de ta tête. Tu laisses à d'autres le fond des océans peuplé de faces blanches aveugles et les abîmes de la terre où des légions pétrifiées d'êtres futurs attendent le prochain déluge. Toi tu surprends la gestation des bêtes célestes dans leurs nids d'air gluant.

Cela commença dans l'azur immuable d'une après-midi d'été, un ciel sentant la mort, fermé sur les végétaux immobiles. Un grand fantôme blanc flamba du haut en bas, déchirant à jamais un lambeau de bleu.

Et plus tard, au cœur de l'atmosphère supérieure, sans droite ni gauche, sans dessus ni dessous, au point mort de l'espace, un îlot nourricier, strié de vert, restait pour porter l'œuf où tous les mondes étaient enfin rentrés. Si l'œuf éclot par dérision que l'on célèbre la naissance d'un torse plat à tête d'oiseau qui jouera au ballon, étant saigné à blanc.

Qu'un voyant vêtu de lin, vivant de grain, courant les lieues, cherche le lieu.

Sima sans cesse montant à la poursuite de ses troupeaux fantômes, plie et déplie les horizons en escaliers, vers soi-même, le premier sur la route peinte du *Grand Jeu*.

Monsieur Morphée
empoisonneur public

CET ESSAI EST UNE MISE AU POINT DU PROBLÈME
DES STUPÉFIANTS : IL N'HONORE PAS LES LÉGISLATEURS
ET LES JOURNALISTES QUI L'ONT MALPROPREMENT ESCAMOTÉ.

> *Prenez garde, car vous avez la maladie*
> *Dont je suis mort.*
> M. ROLLINAT

> *La mort… c'est le but de la vie.*
> CHARLES BAUDELAIRE

Si Claude Farrère, et puisse-t-il ne jamais se repentir de ce qu'il a fait de mieux au long, trop long, de sa carrière, si Antonin Artaud et surtout, magnifiquement, Robert Desnos ont, tour à tour, seuls entre tous, traité du problème des drogues sans tabou sur l'esprit depuis la promulgation de la loi inintelligente de prohibition (juillet 1916), tout n'est pas dit et la protestation ne doit pas faire silence : jamais elle ne sera plus actuelle qu'à l'heure présente pour répondre à la diarrhée journalistique documentaro-moralisatrice et surtout policière sur les « paradis artificiels » (sic et resic et resic). Quotidiens et hebdomadaires illustrés ou non ne cessent d'en barbouiller leurs colonnes sous forme de reportages retentissants pondus par des scribes de toutes opinions et de tous sexes dont le seul caractère commun est une *foncière impuissance à envisager proprement une ques-tion sans se faire l'écho des préjugés grossiers de leurs lecteurs. Qu'il se présente, le pétrone à deux sous la ligne qui « flétrit les vices » dans un dessein moins abject que d'assaisonner son texte par les descriptions truquées de ses prétendues turpitudes. La présente pro-testation, sûre de l'inefficacité de sa démarche, ne vise à aucun résultat : elle ne fait appel qu'à la justice désin-téressée de l'esprit. Que ceux qui font profession dans ce cas comme dans les autres* d'égarer l'opinion et de reculer chaque jour les frontières de l'idiotie trouvent ici l'expression sincère de tout mon mépris.*

Selon l'axe du haut cylindre noir et brillant jouent à cache-cache et tournoient les visions fuyantes du coin de l'œil ; la frayeur aux yeux de lièvre y poursuit les lièvres oreillards de la peur. Sous le gigantesque gibus M. Morphée dissimule à peu près une absence de face. Il est jour, il est nuit ; mais il est toujours nuit quand M. Morphée passe. Toutes les polices du monde qui le recherchent, ne le trouveront jamais à cause même de son allure tellement étrange qu'elle le rend invisible. Pour comble d'audace, il menace : « Lorsque je me promenais, dit-il, tout nu dans les paysages mytho-logiques, on m'élevait, il est vrai, peu d'autels, mais au moins le respect entourait ma carcasse au repos et sous ma chevelure immense et broussailleuse comme la paille de fer — c'est vous qui m'avez rendu chauve, salauds ! — Quand je fermais mes yeux tourbillonnants

---

* Les récents et innombrables dithyrambes pondus lors des pitoyables mascarades que furent les funérailles nationales du Faré-chal Moch sont là comme pièces à conviction.

de mondes, comme on renferme après usage des instruments de précision dans leur étui, on me laissait en paix contempler au fracas du tonnerre des rêves la naissance des météores en phosphènes. Hélas, dernier détenteur du secret de la vie, maintenant même l'Orient se meurt — ah, célébrez royalement ses funérailles ! avant qu'il ne renaisse et vous saute à la gorge ; car son réveil sera terrible sur la croûte du monde. Avec mes pieds bots je ne puis être que de cœur parmi les hordes souterraines des enfants blêmes de la nuit qui bientôt piétineront votre sale civilisation. Au moins je joue leur jeu à l'intérieur de la place. Lentement je grignote, comme un million de rats, l'Occident qui me nie et je ne serai pas pour rien dans l'écroulement de ce colosse aux pieds de beurre, à tête de veau.

Alors que vous m'avez toujours connu débonnaire marchand de dodo vous vous demandez sans doute quelle nouvelle firme je représente. Mais, ne serait-ce qu'à l'atmosphère délétère qui m'entoure et qui se dégage principalement de mes oreilles de vampire, vous sentez vite intensément et obscurément le plus vaste principe que je propage. Quant à l'exprimer vous en seriez bien en peine. Au plus près pourrai-je me présenter comme l'industrieux génie de la *Mort-dans-la-vie*. Je suis le maître de tous les états naturels ou provoqués qui « préfigurent », symbolisent la mort et, partant, participent de son essence. Et ces états tiennent dans une vie humaine une place beaucoup plus importante qu'on ne croit. Je vous rappellerai tout d'abord, après Gérard de Nerval, cette constatation si vraie, si évidente, si importante, si essentielle, si mystérieuse que toutes les consciences modernes oublient régulièrement : *l'homme passe au moins un tiers de sa vie à dormir.* Le fait de ne pas tenir compte de cette si simple vérité suffit à fausser complètement le concept actuel de « *vie humaine* ». Ce fâcheux oubli constitue l'une des plus efficientes causes des maux présents et du *Cataclysme futur*, — et proche. C'est probablement pour me donner un exemple à l'appui que l'on enferme chaque jour comme des boutons de culotte, dans les asiles d'aliénés, des hommes dont le seul crime est de donner à l'activité de rêve une valeur égale à celle dont on gratifie si généreusement l'activité de veille, et qui en conséquence exécutent les ordres du rêve dans la veille. C'est pour cette équitable conception de la vie double que Nerval lui-même fut maudit dans le siècle.

Mais sachez-le, faces pâles, outre le sommeil reviennent de droit à mes territoires fantômes tous les autres états humains qui sont des refus d'agir, des crampes de la volonté, des paralysies soudaines du devenir individuel, des arrêts du flux métaphorique de la conscience superficielle, des trouées vers les zones nocturnes, les climats interdits où règne celui qui dit « non » à la vie : « *Soi* » l'impassible.

Et maintenant notez cette définition d'universalité que je soumets aux zoologues : *ce qui différencie le mieux l'homme de l'animal c'est la pipe.*

Qu'on m'excuse, quant au dernier terme de cet aphorisme, de sacrifier au besoin d'imager, de « faire concret » selon le goût du jour, si j'ajoute cette explication simple et lucide : selon une image de rhétorique bien connue, donnant le contenant pour le contenu, par pipe j'entends tous les produits qui servent, plus ou moins, à provoquer artificiellement la rêverie. Voici encore une vérité banale et très claire à laquelle on ne pense jamais, c'est à savoir que tous les hommes de tous les temps historiques ou préhistoriques, quels que soient leur morale, leur religion ou leur degré de civilisation ont toujours usé de ces produits que la pharmacologie nomme toxiques : depuis les philtres des magiciens antiques et des médecine-men de toutes les tribus primitives, les herbes saintes des Incas, la coca et le peyotl du Mexique, le bétel à mâcher des Océaniens, l'opium chinois et hindou, le haschisch et toutes les variétés de chanvres asiatiques et africains jusqu'aux poisons modernes de l'Europe : éther, tabac, morphine, héroïne, cocaïne, et au plus universel : l'alcool sous toutes ses formes métropolitaines et coloniales.

Il est assez compréhensible et logique que toutes les drogues, destinées qu'elles sont à provoquer plus ou moins vite et plus ou moins longtemps cet accident de conscience que j'ai vaguement classé parmi les refus d'agir mais indubitablement rangé dans mon royaume la Mort-dans-la-vie, soient par contre-coup nuisibles aux instruments de l'action, c'est-à-dire aux organes du corps humain.

C'est en tablant sur cette constatation assez simplette que, de tous temps, un certain nombre d'hommes qui, d'une part, pour des raisons plus loin développées, ne ressentent guère le besoin d'user de ces produits toxiques et qui, d'autre part, munis légalement du pouvoir d'attenter à la liberté privée de leurs concitoyens, ont une fois pour toutes renoncé à appliquer le principe politique du Non-Agir préconisé par Lao-Tseu, un certain nombre d'hommes, dis-je, ont cru possible d'arrêter net la consommation des drogues en les prohibant.

De telles prohibitions ont toujours des buts apparents très convenables, par exemple le bien public, et des buts moins apparents un peu malpropres, par exemple la repopulation.

La prohibition de l'alcool aux États-Unis, celle de l'opium, de la cocaïne, etc., etc., dans presque tous les pays proviennent de cette manière de penser commune non seulement à tous les législateurs, mais encore à tous les hommes « bien-pensants », c'est-à-dire à la majorité de tous les pays dits civilisés.

Quant à ceux qui pensent autrement ils répondent aux prohibitions par la fraude ou par l'invention d'ersatz. Mais tous les hommes de tous les pays continuent à provoquer artificiellement en eux l'état de mort-dans-la-vie par le moyen de leur choix.

Il convient d'ailleurs de remarquer que grâce à la démagogie de nos foutues démocraties et au soin de leurs intérêts, les toxiques les plus employés ont été rarement prohibés. Le tabac ne le fut jamais nulle part, l'alcool presque jamais, enfin la consommation de l'opium est recommandée dans l'Inde et en Indo-Chine. La partialité de ces prohibitions n'a jamais été déterminée par le caractère plus ou moins nocif des drogues comme surtout les deux premiers exemples devraient le prouver si le jugement du lecteur n'était complètement faussé par les racontars de la presse à propos des stupéfiants défendus, boucs émissaires des hygiénistes et de leurs serviettes.

Aussi, moi, Morphée and Co qui détiens actuellement le trust des drogues prohibées de par le vaste monde, je tiens à répondre aux journalistes payés par mes concurrents pour dénigrer ma marchandise. Et je la défendrai impartialement.

Oui, Messieurs de la Continence, sur ce sujet, comme sur tous les autres d'ailleurs, s'épanouit le badigeon des plus funestes malentendus, depuis les plus grossiers, jusques aux plus subtils. À commencer par cette remarque que, la plupart de mes stupéfiants demeurant l'apanage d'une infime minorité, la grande majorité qui les ignore se fait de leurs ravages une idée tout à fait légendaire, d'ailleurs savamment entretenue par les reporters qui recherchent toujours l'horreur romantique à bon marché. C'est ainsi que dans vos régions où tout le monde consomme de l'alcool en quantité plus ou moins abondante, il n'est personne, sinon quelques vieilles demoiselles pleines de bonnes intentions, pour croire aux boniments de la Ligue antialcoolique. Chacun connaît dans son entourage des ivrognes invétérés et excessifs, fulgurants de santé et dix fois centenaires. De même on peut rire finement en comparant les grotesques placards où se trouve dépeint l'« Enfer des drogués » (sic et resic et resic) — et le public, faute de plus ample information, calque son opinion sur ces caricatures — à l'inoffensive réalité.

Combien de fois, visitant mes fidèles, j'ai mis mes pas claudicants dans ceux beaucoup plus larges et longs des plus célèbres reporters et je me suis aventuré dans des fumeries, capharnaüms mal éclairés et décorés d'un bric-à-brac en toc asiatique où de braves garçons réjouis racontaient en se tapant les cuisses des histoires égrillardes même pas sadiques. Quelles déceptions amères humecteraient vos esprits abrutis de prévisions sépulcrales quand vous découvririez d'authentiques intoxiqués de longue date, des avaleurs invétérés de stupéfiants formidables aussi (mais pas plus) imbéciles et rigolards que le commun de leurs contemporains, gras, dodus, roses, joufflus, amis de la bonne chère et du bon vin et, comble d'abomination, souvent pourvus de rejetons aussi imbéciles, rigolards, gras, dodus, roses, joufflus et prospères que l'auteur de leurs jours et de leurs nuits. Et si vous viviez quelque temps au contact de ces forçats du mal vous seriez rapidement amenés à vous apercevoir que leur vie est bien réglée, qu'ils vaquent à leurs petites affaires, qu'ils ont les mêmes préoccupations que les autres mortels, et que leur « vice » en somme ne joue pas dans leur existence un rôle plus étendu, ravageur, et néfaste que tel autre parmi les moins fantasmagoriques, la masturbation par exemple. Bien plus, pour rendre votre désillusion plus irrémédiable, vous seriez bientôt forcés d'admettre en les observant — pour aussi navrante que soit une telle constatation — que les effets des drogues réputées les plus virulentes sont incomparablement moins violents que ceux de l'alcool ; car non seulement il n'est jamais question sous leur crâne arrondi de délires hallucinatoires, mais encore ils poussent l'imprudence jusqu'à n'être jamais vraiment ivres saouls. Tout pour eux se borne en général à l'expression d'une vague euphorie. À peine la terrifique poudre blanche est-elle quelque peu excitante.

Et je défie quiconque de me contredire sur ce que j'avance là. Que l'abus de mes produits ait amené parfois les deux redoutables fantoches, mes cousins la Folie et la Mort, cela est sans doute exact mais certes beaucoup moins fréquemment que l'abus de l'alcool n'a pu le faire. Car l'alcool est mon meilleur toxique et les drogués ne sont en général que des individus aux tempéraments trop délicats pour supporter plus longtemps l'ivresse alcoolique.

Si cette partie de mon empire manque un peu de

lyrisme, si tous mes sujets ne sont pas très jolis, c'est votre stupide humanité qui en est cause.

— Mais si par hasard tout ce que vous déclarez là est vrai (soyez poli !), — m'objectera-t-on intelligemment, — les terribles prohibitions dont vous parliez tout à l'heure sont certes peut-être un peu ridicules (toc, un point de gagné) mais leur erreur n'est pas bien grave ; elle évite aux prédisposés de fâcheuses habitudes sinon très dangereuses, du moins idiotes !

— Holà, arrêtez, malheureux ! Quel est le misérable qui prononce ces paroles aphones ? Je le rudoierais férocement pour la témérité de son jugement si je ne m'apercevais que ce malheureux, par un artifice de rhétorique usé jusqu'à la corde, n'était encore moi-même. Arrêtez donc, malheureux, dis-je, car vous ne savez pas pourquoi les drogués se droguent.

Dans la nuit impure de boue et de sang où l'humanité traîne, comme un écorché sa peau, elle, sa vie misérable et pétrie de souffrance seconde par seconde, montagne faite d'élytres d'insectes agglomérés, dans la nuit impure de boue et de lave où personne ne se reconnaît soi-même, moi, Morphée le fantôme, moi, Morphée le vampire, je règne, tutélaire et plein de sarcasmes sur mes troupeaux maudits, à la façon du roi-condor pirouettant dans les nuages au-dessus d'une horde de lièvres chevauchés par la petite peur à travers une steppe, aride, immense et sans trous comme la représentation géographique de la rotondité du globe terrestre.

Et sinon Maldoror, phare du mal éveillé sur la nuit de la terre, tous les lièvres humains fascinés par les cercles concentriques que décrivent rapidement mes regards morphéens, tombent à la renverse, la figure décollée de celle de leur double dans les torrents souterrains du sommeil qui vont se jeter dans le lac de la mort. Mais pour quelques privilégiés seulement, disséminés à travers tout le temps et tout l'espace, je multiplie la petite mort et en parfais l'image jusqu'à la rendre asymptote du plus authentique trépas, en leur faisant don de la poudre stellaire qui couvre mes ailes, des parasites piqueurs qui les peuplent, des vapeurs qu'elles soulèvent et des tuyaux de leurs plumes devenues pipes[*].

Mais ces êtres élus par ma malédiction nocturne sont et demeureront relativement rares : mon empire est, hélas, soumis aux lois biologiques. Des statistiques démontreraient facilement que — à l'exception de quelques personnalités supérieures assez évoluées pour échapper à la plupart des contingences sociales (quantité sinon qualité négligeable) — mes sujets, les Morphéens deviennent majorité, légion, unanimité dans les races à leur déclin, dans les tribus vieillies qui meurent. Songez à l'alcoolisme des Indiens du Nord-Amérique. Au contraire, ils sont l'exception monstrueuse parmi les peuples qui vivent leur phase conquérante d'expansion. En tous cas, jamais de misérables lois de prohibition ne pourront empêcher ces gigantesques et fatales réactions ethniques.

Dans vos cités d'Europe moribondes, où s'usent à leurs derniers contacts toutes les races et toutes leurs phases, vous voyez côte à côte tous mes sujets, les victimes des phénomènes ethniques et celles de drames

---

[*] Ces obscures métaphores font respectivement allusion à la cocaïne, à la morphine, à l'éther et à l'opium.

individuels, dont seule jusqu'ici a pu rendre compte la « psychologie des états » encore inconnue dans l'ensemble de sa théorie et que Gilbert-Lecomte opposera, quand les temps seront venus, à toutes les vieilles âneries dérivées de la « psychologie des facultés » qui pourrissent dans les Sorbonnes délabrées.

Certes, échappent à mon emprise une majorité d'individus qui ont vis-à-vis des drogues une véritable et invincible répulsion que renforcent à peine les impératifs moraux. Ce sont des êtres dont la jeunesse organique qui n'a rien à voir avec l'âge mais qui passe comme lui fait l'emporter en eux l'instinct de conservation, source d'agir, sur l'« *instinct d'auto-destruction* », dont on n'ose jamais parler et qui tient pourtant une place égale dans la plupart des consciences humaines.

Mais en face de ces hommes dits sains pour qui le repos de chaque nuit, même réduit à son strict minimum, est encore une charge trop lourde dont ils ne souhaiteraient rien plus que de se libérer enfin pour plus agir, il y a les autres, les amants des longs sommeils sans rêve, ceux qu'un mal inconnu harasse et pour qui le bonheur est « la Mort-dans-la-Vie ». Et surtout il y a, lourds et sans mercis, dans le champ clos du corps obscur, les combats entre les immortels ennemis, vouloir-vivre et non-agir, voluptés de puissances et celles plus perfides du vouloir qui se meurt en funèbres couchants, en déclins de vertige.

Parmi les hommes triplement marqués de mon signe, vous découvrirez les résultats de cette antinomie à tous les degrés de l'échelle des valeurs, depuis une majorité d'avachis héréditaires chez qui le goût des drogues n'est qu'une réaction animale contre le non-sens que constitue leur vie tarée, jusqu'à quelques grands forçats, maudits des tempêtes et des orages et qui sont toujours les terribles voix de l'esprit succombant au déshonneur d'être hommes.

Il y a, en effet, pour un certain nombre d'êtres à la sensibilité suraiguë, une conscience tour à tour intensément exaltante et douloureuse d'états opposés. Et les signes de ces crises s'exagèrent chez quelques prédestinés, monstrueux du seul fait qu'ils portent au fond d'eux-mêmes comme leur propre condamnation, un élément surhumain qui dépasse et contredit leur époque, fulgurations de l'esprit ou énergie physique gigantesque. De tels éléments suffisent à désaxer magnifiquement une vie humaine. D'abord par leur caractère anti-social : ils provoquent des actions irréductibles au jugement universel du commun des hommes qui se vengent en traçant autour du maudit le cercle magique qui l'esseule, l'incompréhension haineuse et les contraintes nivellatrices qui le forcent à l'amertume de la solitude que l'on appelle aussi folie. Ensuite et d'autre part par leur caractère anti-physiologique sur le plan individuel : la pure violence qui est leur nature a raison, en quelques années, des plus robustes machineries humaines.

Et maintenant admettez ce principe qui est la seule justification du goût des stupéfiants : *ce que tous les drogués demandent consciemment ou inconsciemment aux drogues*, ce ne sont jamais ces voluptés équivoques, ce foisonnement hallucinatoire d'images fantastiques, cette hyperacuité sensuelle, cette excitation et autres baliverne dont rêvent tous ceux qui ignorent les « paradis artificiels ». *C'est uniquement et tout simplement un changement d'état, un nouveau climat où leur conscience d'être soit moins douloureuse.*

Ne pourront jamais comprendre : tous mes enne-mis, les gens d'humeur égale et de sens rassis, les français-moyens, les ronds de cuir de l'intelligence, tous ceux dont l'esprit, instrument primitif et gros-sier mais incassable, est toujours prêt à s'appliquer à ses usages journaliers, sans jamais connaître ni la nuit solide de l'abrutissement pétrifié ni l'agilité miracu-leuse de l'éclair à tuer Dieu. Ils ne se doutent pas que par opposition aux poissons à bouche ronde que l'on nomme cyclostomes, les psychiatres ont baptisé du vocable de « *cyclothymiques* » un certain nombre de « malades » dont la vie s'écoule ainsi en alternances infernales et régulières d'états *hypo* et d'états *hyper*, d'enthousiasmes et de dépressions spirituels. Bien sou-vent ceux qui connaissent la lancinante douleur de ces dépressions lui préfèrent le suicide.

Plus incompréhensible encore leur sera l'*état de l'homme qui souffre de la conscience effroyablement claire*. Il s'agit de la douleur peu commune aux mor-tels de se trouver soudain trop « intelligent ». Il est bien vain de tenter de faire naître dans un esprit qui ne l'a pas expérimenté, l'approximation de cet état qui selon un déterminisme inconnu, en un instant sou-dain, plonge un être dans l'horreur froide et tenace du voile déchiré des antiques mystères. C'est devant la disponibilité la plus absolue de la conscience, le rap-pel brusque de l'inutilité de l'acte en cours, devenu symbole de tout Acte, devant le scandale d'être et d'être limité sans connaissance de soi-même. Essence de l'angoisse en soi qui fait les fous, qui fait les morts.

Et ce n'est pas l'obscurcissement retrouvé de l'état de conscience normal et intéressé de la vie quotidienne qui peut guérir un homme du souvenir de cette lumière absolue qui tuerait un aveugle vivant. Bien qu'elle ne fût jamais qu'entr'aperçue dans la brisure d'un éclair, elle laisse dans la tête humaine un chancre immortel. Car on ne peut opposer un état coutumier qui serait la norme, à d'autres états qu'on baptiserait pathologiques alors qu'ils sont immédiatement perçus comme inférieurs ou supérieurs à celui-ci. Il y a seulement des états plus ou moins douloureux et la démarche naturelle de l'homme est de chercher à provoquer en lui l'état de moindre souffrance. Ainsi le souvenir d'un état supérieur (en tant que plus lumineux) à l'état dit normal suffit à rendre celui-ci intolérable. Il ne saurait donc s'agir que de le changer le plus souvent et le plus longtemps possible. Malheureusement pour la clarté de cet exposé, ce n'est pas ici le lieu d'envisager les différents moyens capables de faire changer une conscience de plans allant en principe de l'inconscience absolue à la conscience totale et omnisciente : c'est là le principe de toute une éthique dynamique et immédiate. Mais pour le cas qui nous occupe il suffit de savoir que l'usage des stupéfiants, pris en quantité adéquate, est indéniablement, un de ces moyens. Car chaque drogue engendre un état spécifique : ivresse de l'alcool, kief de l'opium, plus généralement euphorie des alcaloïdes, etc. Et s'il est impossible pour le moment d'envisager la valeur morale de ces états, par contre il faut bien admettre qu'ils permettent, à qui se réfugie en eux, de fuir des états plus douloureux, sinon inférieurs ou supérieurs. C'est ainsi que les drogues ont certainement sauvé bien des vies.

Par ailleurs qu'il me suffise de dire que les stupéfiants sont considérés moralement par certains mystiques, aussi paradoxal que cela puisse paraître, comme des moyens d'ascétisme. Il ne saurait jamais s'agir, bien entendu, de les considérer comme géniteurs d'extases dont leurs états spécifiques sont aux antipodes ou même seulement comme favorables à la contemplation mais seulement en tant que contre-poison. En particulier dans votre civilisation moderne où le corps humain est dégradé par l'excès de nourriture, la fébrile suractivité et les déformations des habitudes techniques, l'absorption de certaines drogues peut lutter contre ces éléments de désordre et rendre à l'Esprit impersonnel un terrain propre à sa visite (le fanatisme religieux est d'ailleurs lui aussi souvent entretenu par les drogues : car l'encens liturgique en est indubitablement une).

Si l'on envisage d'autre part l'usage régulier et progressif des drogues, l'intoxication, du point de vue des états de conscience qu'elle provoque, substituant peu à peu chez un individu prédisposé des états de « mort dans la vie », c'est-à-dire éminemment de désintérêt devant l'acte, à ceux nécessaires à l'entretien de la vie, on arrive vite à la considérer non plus seulement du point de vue physiologique, mais encore du point de vue psychologique comme un moyen de suicide lent, c'est-à-dire du seul moralement licite des suicides. Car alors il ne s'agit plus de pari, de choix entre la vie et un état inconnu opposé à la vie et que l'on appelle mort, mais bien d'une lente évolution non réversible de tout l'être qui s'achemine, aussi bien par la ruine de son organisme que par l'oubli et le dégoût progressifs de tout ce qui caractérise une vie humaine, vers la cessation de cette vie défigurée, puis oubliée doucement au loin, au profit d'une authentique expérience anticipée de la mort par le truchement d'état de rêves profonds de plus en plus semblables à elle.

Puissent ces considérations rapides et incomplètes amener dans quelques esprits cette conclusion : *Pour un certain nombre d'individus les drogues sont des nécessités inéluctables.* Certains êtres ne peuvent survivre qu'en se détruisant eux-mêmes. Jamais les lois ne pourront rien là-contre. Enlevez-leur l'alcool, ils boiront du pétrole ; l'éther, ils s'asphyxieront de benzène ou de tétrachlorure tue-mouche ; leurs couteaux à mutiler, ils se feront de leurs regards des lames.

Muselés en vain par vos lois sociales, dorment parmi vous des énergies destructrices à faire sauter le monde. À leurs regards allumeurs d'incendies, je reconnais dans les chantiers déserts : Attila, Gengis-Khan, Tamerlan. L'ivresse de l'alcool est pour les ouvriers la plus noble protestation contre la vie sordide qui leur est faite. Dans l'attente de la mort, enfin, de la pensée d'Occident, dans l'attente du cataclysme futur, auréolé de révolutions, moi, Morphée, je taille les hordes à venir par ma rude hygiène. En attendant l'heure, c'est sur eux-mêmes que je les contrains d'exercer leur force de détruire. Et les mutilations volontaires, les empoisonnements terribles des alcools qui roulent l'être pantelant aux rivages de la mort, les coups de tête dans les murs, toutes les souffrances à soi-même infligées sont les seuls critériums qui m'assurent des hommes assez physiquement désespérés, assez morts à leur propre individu pour montrer sur leur visage le sarcasme impassible du *désintérêt devant la vie*, gage unique de tous les actes surhumains. »

Et tandis que, frénétique, Morphée-le-Vampire disparaissait en se dévorant lui-même, ses fidèles criaient :

« Fais-nous des *durs* et mords à mort ! »

DOSSIER

BIBLIOGRAPHIE

ROGER GILBERT-LECOMTE

La Vie l'Amour la Mort le Vide et le Vent, Éditions des Cahiers Libres, octobre 1933, avec une couverture de Joseph Sima.

Le miroir noir, Éditions Sagesse, 1938.

Testament, édition d'Arthur Adamov, avant-propos de Pierre Minet, Gallimard, coll. « Métamorphoses », 1955 ; nouvelle édition coll. « Blanche », 1997.

Lettre à Benjamin Fondane, présentée par Claude Sernet, in *Les Cahiers du Sud*, n° 377, avril 1964 ; nouvelle édition avec un « Avant-lire » de Serge Sautreau, Les Cahiers des Brisants, 1985.

Monsieur Morphée empoisonneur public, présenté par Claude Sernet, Fata Morgana, 1966 ; nouvelle édition, 1999, préface de Cédric Demangeot, illustrations de Maziar Zendehroudi.

Correspondance, préface et notes de Pierre Minet, Gallimard, 1971.

Arthur Rimbaud (réunit *Après Rimbaud la mort des Arts* et *La correspondance de Rimbaud*), précédé de *La mort, le mot et le mort-mot* par Bernard Noël, frontispice de Joseph Sima, Fata Morgana, coll. « Scholies », 1971.

Tétanos mystique, Fata Morgana, 1972.

L'horrible révélation... la seule, suivie de notes, variantes et fragments inédits, illustrations de Patrice Vermeille, Fata Morgana, 1973.

Œuvres complètes I, proses. Édition de Marc Thivolet, avant-propos de Pierre Minet, Gallimard, 1974.

Œuvres complètes II, poésie. Édition de Jean Bollery, avant-propos de Pierre Minet, Gallimard, 1977.

Caves en plein ciel, présentation de Claudio Rugafiori, Fata Morgana, 1977.

Neuf haïkaï, tirage limité, Fata Morgana, 1977.

Poèmes et chroniques retrouvés, présentés par Alain et Odette Virmaux, Rougerie, 1982.

Mes chers petits éternels, L'Éther Vague, 1992.

Josef Sima, édition de Marie-Hélène Popelard, L'Atelier des Brisants, coll. « Rencontres », 2001.

Correspondance 1927-1939, Roger Gilbert-Lecomte et Léon Pierre-Quint, préface de Bernard Noël, édition de Bérénice Stoll, Ypsilon. éditeur, 2011.

Monsieur Morphée empoisonneur public, suivi de *Les derniers jours de Roger Gilbert-Lecomte* par Mme Firmat, Éditions Allia, 2012.

SUR ROGER GILBERT-LECOMTE

Jean-Jacques Kim, « Le testament spirituel de Roger Gilbert-Lecomte », in *La Tour Saint-Jacques*, n° 3, mars-avril 1956.

Antonin Artaud, *Sur* La Vie l'Amour la Mort le Vide et le Vent, in *Œuvres complètes III*, Gallimard, 1978.

Alain et Odette Virmaux, *Roger Gilbert-Lecomte et le Grand Jeu*, Belfond, coll. « Dossiers », 1981.

Roland Dumas (avec la collaboration de Christine Piot), *Plaidoyer pour Roger Gilbert-Lecomte*, suivi de *Le Cristal dans l'Éclair* de Serge Sautreau, Gallimard, 1985.

Roger Gilbert-Lecomte, La Treizième, n° 2, printemps 1987.

Christian Noobergen, *Roger Gilbert-Lecomte*, Seghers, coll. « Poètes d'aujourd'hui », 1988.

Henriette-Josèphe Maxwell, *Roger Gilbert-Lecomte*, éditions Accarias-L'Originel, 1995.

Pierre Minet & Wols, *Roger Gilbert-Lecomte, portrait illustré de photographies originales*, M. Imbert, La Maison des Amis des Livres, 1997.

Cédric Demangeot, *Roger Gilbert-Lecomte : « Votre peau n'a pas toujours été votre limite »*, Jean-Michel Place/Poésie, 2001.

LE GRAND JEU

Le Grand Jeu, Cahiers de l'Herne, n° 10, L'Herne, 1968.

Le Grand Jeu, édition fac-similé des trois numéros du *Grand Jeu* (plus les épreuves inédites du numéro 4), Jean-Michel Place, 1977.

Les Poètes du Grand Jeu, édition de Zéno Bianu, coll. « Poésie/Gallimard », 2003.

REPÈRES CHRONOLOGIQUES

1891. Naissance de Joseph Sima.

1896. Naissance d'André Breton et d'Antonin Artaud.

1899. Naissance d'Henri Michaux.

1903. Naissance d'André Rolland de Renéville.

1904. Naissance de Monny de Boully.

1906. Naissance d'Artür Harfaux.

1907. Naissance à Reims de Roger Gilbert-Lecomte (18 mai), de Roger Vailland, de Robert Meyrat et de Maurice Henry.

1908. Naissance de René Daumal.

1909. Naissance de Pierre Minet et d'André Delons.

1918. Tzara : *Manifestes Dada.*

1920. Breton/Soupault : *Les champs magnétiques.*

1921. Premières complicités au Lycée des Bons Enfants à Reims. Fondation de la revue *Apollo* (sept numéros) par Gilbert-Lecomte et Vailland. À quatorze ans, Gilbert-Lecomte y publie « Sacra Nox ! », où il évoque prémonitoirement la « semeuse de pavots qui endorment les fièvres ».

1922-1923. Quatre adolescents inventent en classe de seconde une fratrie initiatique : Gilbert-Lecomte (« Rog-Jarl »), Daumal (« Nathaniel »), Vailland (« François »), Meyrat (« La Stryge »). Gilbert-Lecomte écrit *Tétanos mystique* et découvre l'opium (« Je me tuerai lentement en fumant de l'opium. »). Il pratique aussi le haïkaï comme un yoga d'écriture (« C'est tout à fait amusant de condenser en trois lignes bien claires une impression ou une idée… »).

1924. Naissance du simplisme, premier noyau du Grand Jeu. « Simplistes. Nul sens à chercher à ce mot, écrit Daumal — pourtant, il y a peut-être là quelque analogie avec cet état d'enfance que nous recherchons — un état où tout est simple et facile. » Breton : *Manifeste du surréalisme* et premier numéro de *La Révolution surréaliste*. Gilbert-Lecomte écrit plusieurs poèmes influencés par la métaphysique indienne tels que « Le souffle universel ».

1925. Gilbert-Lecomte, recalé à l'oral de philosophie, entre à l'école de médecine de Reims. Vailland et Daumal préparent le concours de l'École normale supérieure à Paris. Pierre Minet, que Daumal et Gilbert-Lecomte rencontrent le 1er mai, devient le cinquième simpliste sous le nom de « Phrère fluet ».

1926. Les simplistes mènent des expériences de vision extrarétinienne avec René Maublanc, professeur de philosophie à Reims. Ils font la connaissance de Léon Pierre-Quint, directeur littéraire des éditions Kra. Artür Harfaux et Maurice Henry apparaissent. Premiers contacts avec les surréalistes.

1927. Rencontre de Joseph Sima. Projet d'une revue d'abord appelée *La Voie*, puis *Le Grand Jeu* (souvenir du *Kim* de Kipling ?). Robert Meyrat, de manière incompréhensible, quitte le groupe. « Et pourtant un jour que s'était-il passé ? Tu ne nous as jamais dit si nous t'avions tous l'un après l'autre refusé notre accueil, ni quel accident s'est produit à quel carrefour de cauchemar » (Daumal). Arrivée d'Hendrik Cramer et d'André Rolland de Renéville. Réunions fréquentes dans l'atelier de Sima.

1928. *Mars* : annonce du numéro 1 de la revue. *Direction :* Roger Gilbert-Lecomte, René Daumal et Roger Vailland. *Direction artistique :* Joseph Sima. *Collaborateurs réguliers :* André Rolland de Renéville, Pierre Minet, Maurice Henry, Artür Harfaux, Hendrik Cramer. *Septembre :* n° 1 du *Grand Jeu*, où Gilbert-Lecomte donne notamment « La force des renoncements ». Monny de Boully, André Delons, Pierre Audard rejoignent le groupe, autour duquel graviteront Marianne Lams, Georgette Camille, Mayo, Zdenko Reich.

1929. *11 mars* : réunion du bar du Château, au cours de laquelle Breton et Aragon organisent le procès du Grand Jeu, mettant en cause notamment Gilbert-Lecomte et Vailland. Le Grand Jeu est courageusement défendu par Georges Ribemont-Dessaignes : « Il ne vient rien devant nous, ou si vous voulez derrière nous. La seule porte ouverte est celle du Grand Jeu. » Gilbert-Lecomte préface la *Correspondance inédite d'Arthur Rimbaud* (Cahiers Libres, Paris). Daumal fait paraître « La pataphysique et la révélation du rire » dans *Bifur*, n° 2 (revue dirigée par Ribemont-Dessaignes). Renéville publie *Rimbaud le voyant*. *Mai* : n° 2 du *Grand Jeu*, où Gilbert-Lecomte donne à lire « Après Rimbaud la mort des Arts » et en collaboration avec Daumal, « Mise au point ou Casse-dogme ». *Juin* : Première exposition « Grand Jeu » consacrée notamment à la peinture de Joseph Sima, à la Galerie Bonaparte. Numéro spécial « Grand Jeu » de la revue tchèque *ReD*.

1930. Gilbert-Lecomte publie *Monsieur Morphée empoisonneur public*, « mise au point du problème des stupéfiants », dans le numéro 4 de *Bifur*. *Octobre* : n° 3 du *Grand Jeu* (contenant la « Lettre ouverte… » de Daumal à Breton et « L'horrible révélation… la seule », l'un des textes les plus inspirés de Gilbert-Lecomte). Daumal rencontre Alexandre de Salzmann, disciple et ami de Gurdjieff (« Je vois que le "savoir caché" dont j'avais rêvé existe dans le monde… »). C'est sans doute la première déchirure du Grand Jeu. Gilbert-Lecomte suit plusieurs cures de désintoxication. Vailland quitte le groupe en raison de « certaines antinomies ». Exposition Sima « L'énigme de la face », accompagnée d'un texte éponyme de Gilbert-Lecomte. *La Révolution surréaliste* devient *Le Surréalisme au service de la Révolution*.

1931. Préparation du numéro 4 du *Grand Jeu*. Numéro spécial des *Cahiers du Sud* sur Sima. Roger Gilbert-Lecomte

présente « Les clavicules pour un Grand Jeu poétique »
de Daumal dans *Anthologie des philosophes contemporains*, éditions Kra.

1932. Renéville refuse de signer une pétition en faveur d'Aragon, qui fait l'objet de poursuites, après la publication
de son poème « Front rouge ». (« Le matérialisme appli-
qué à la poésie me navre », commente Renéville dans un
pneumatique à Daumal, le 12 janvier 1932.) Le conflit
Renéville/Audard-Delons se cristallise. *Novembre* :
contrairement à Gilbert-Lecomte et Daumal, Pierre
Audard, Maurice Henry, Artür Harfaux et André
Delons privilégient l'approche politique aux dépens de
la dimension métaphysique. Ils subissent, à des degrés
divers, l'attraction du surréalisme et quittent en bloc le
Grand Jeu. Daumal part pour New York comme secré-
taire de presse du danseur Uday Shankar. *Décembre* :
Gilbert-Lecomte donne des conférences en Sorbonne
auxquelles assiste Artaud. Le numéro 4 du *Grand Jeu*
ne paraît pas, « foutu irrémédiablement » (Gilbert-
Lecomte).

1933. *22 mars* : longue lettre nocturne de Gilbert-Lecomte à
Benjamin Fondane. Il publie *La Vie l'Amour la Mort le
Vide et le Vent* aux Éditions des Cahiers Libres.

1934. Projet de relance du Grand Jeu avec Daumal, Gilbert-
Lecomte, Henri Michaux et Renéville. Artaud fait un
éloge vibrant de *La Vie l'Amour la Mort le Vide et le
Vent* dans la *NRF* (n° 255).

1935. Daumal publie *Le contre-ciel* (prix Jacques-Doucet).
Gilbert-Lecomte rencontre Ruth Kronenberg, jeune
artiste juive allemande, qui deviendra sa compagne et
mourra à Auschwitz en 1942.

1936. Projet d'un essai sur Rainer Maria Rilke.

1937. Gilbert-Lecomte est arrêté pour détention illicite de stupéfiants. Son avocat est Jean Follain.

1938. Daumal publie *La grande beuverie*. Gilbert-Lecomte est
appréhendé à plusieurs reprises pour possession d'héroïne. Il fait paraître *Le miroir noir*, sous l'égide de Jean

Paulhan. Adamov devient son plus proche ami. Pierre Minet lui restera fidèle jusqu'au bout (« Roger pénètre en enfer. Il y souffrira mille tourments, mais ne cessera pourtant pas d'y grandir. »)

1939. Le *Mercure de France* publie « La lézarde » de Gilbert-Lecomte. Traduction, en collaboration avec Adamov, de deux nouvelles de Yeats. Daumal, « radiographié, les deux poumons malades », écrit le premier chapitre du *Mont analogue*.

1940. André Delons disparaît dans la bataille de Dunkerque. La revue *Fontaine* édite *La guerre sainte* de Daumal. Gilbert-Lecomte est hébergé par Mme Firmat, patronne d'un petit café du XIVe arrondissement, qui l'aidera et le soignera avec sollicitude jusqu'à sa mort.

1943. Gilbert-Lecomte meurt du tétanos le 31 décembre à l'hôpital Broussais. Jacques Prevel, fidèle d'Artaud s'il en est, l'avait rencontré un mois avant sa disparition : « Je le quitte comme un ami retrouvé, le seul avec lequel je me sois tout de suite senti très près. »

1944. Hendrik Kramer meurt en déportation. Daumal inachève *Le mont analogue* « qui doit matériellement, humainement exister, sans quoi notre situation serait sans espoir », et meurt de la tuberculose.

LA VIE L'AMOUR LA MORT LE VIDE
ET LE VENT (1933)

Préface ou Le drame de l'absence en un cœur éternel

La Vie

L'Amour

LA TÊTE COURONNÉE ET AUTRES POÈMES

PROSES DU *GRAND JEU*

MONSIEUR MORPHÉE
EMPOISONNEUR PUBLIC (1930)

DOSSIER

Ce volume,
le quatre cent quatre-vingt-seizième de la collection Poésie
a été achevé d'imprimer sur les presses
de l'imprimerie Novoprint,
le 10 février 2015
Dépôt légal : février 2015

ISBN 978-2-07-046380-0./Imprimé en Espagne.

277868